# The Scrolls of Fire

# BETH HATEFUTSOTH

The Nahum Goldmann Museum of the Jewish Diaspora

# The Scrolls of Fire

A Nation Fighting for its Life
Fifty-Two Chapters of Jewish Martyrology

Written by Abba Kovner
Paintings by Dan Reisinger

KETER PUBLISHING HOUSE • JERUSALEM

**Translated by Shirley Kaufman with Dan Laor**

© Copyright
by Beth Hatefutsoth, the Nahum Goldmann
Museum of the Jewish Diaspora, Tel Aviv

© Copyright 1981 for this edition
by Keter Publishing House, Jerusalem
P.O. Box 7145, Jerusalem

Cat. No. 533334

Printed in Israel by Keterpress Enterprises, Jerusalem

# The Scrolls of Fire

"The Scrolls of Fire" describe Jewish martyrdom and the heroism of the people of Israel from the time of the Destruction of the Temple to the present day. The pages of the original book (70×100 cm) are exhibited at Beth Hatefutsoth, the Nahum Goldmann Museum of the Jewish Diaspora ,in Tel-Aviv.

This album is a complete reproduction of the whole text and all the paintings from the original volume.

There is nothing more whole than a broken Jewish heart

Menahem Mendel from Kotsk

# List of the Chapte[rs]

ל"ז מקורות לתולדות הפרעות ב
"המליץ", 1881
כרוניקה של המזרח (רוסית)
הלפרין: ספר הגבורה, ג'

ל"ח מתוך "על השחיטה", ח.נ. ב

ל"ט י.ח. ברנר: הוא אמר לה
דוד פרישמן: מקלכם בידכם
הלפרין: ספר הגבורה, ג'
עתונות התקופה

מ ע"פ ברל כצנלסון: אגרות כ

מ"א–נ ע"פ עדויות מן השואה
קטע השיר בפרק נ' מתוך "

כ״ו הכותרת — ע״פ הקינה ״יום נלחמו בי יחד שרתי״ מאת אברהם אבן עזרא
בני עמי בכו עמי... ע״פ הקינה ״שמעו עמי תוגתי״ מאת דון יהודה אבן יחייא
גולת ספרד בין זאבי יער... ע״פ קינת אלמוני בן הדור, כ״י ליסבון
את הנהרגים סחבו ברגליהם... ע״פ א״א עזרא, כנ״ל
חסרה תשובת אל לצעקתנו... ע״פ ״יהודה וישראל דעו מר לי מאד״,
קינתו של יהודה אבן יחייא
בורא עולם אייה נפלאותיך — ע״פ ״אל אלהי הרוחות לכל בשר״
מחבר התחינה, כנראה, יצחק בן ששת
ספר יצחק תרפון
ספר קובץ ויכוחים

כ״ז אתמה מאד על מאור היום... מתוך הקינה ״שאלי שרופה באש״ למהר״ם מרוטנבורג
הרדיפות וההשמדות — ברנפלד: ספר הדמעות
שבט יהודה
דוד גאנז: צמח דוד
משפט טרנטו מאת דניאל קארפי

כ״ח ויהי לאבל כנורי ועגבי לקול בוכים... מתוך ״אבכה לקשה יום״, קינה עתיקה במחזור
שאלוניקי, המחבר אלמוני
הנתונים הסטטיסטיים לפי כרוניקות בנות הזמן ופרופ׳ ח. ביינארט
אליהו קפשאלי: גירוש ספרד ופורטוגאל
ספר דברי אליהו, פדובה תרכ״ט
שבט יהודה
י. בער, ח.ה. בן־ששון,
ב״צ דינור: תולדות

כ״ט אליהו קפשאלי: גירוש ספרד ופורטוגאל
נ. סלושץ: האנוסים בפורטוגאל
אבינו הגמול הזה... מתוך ויכוח בין כנסת ישראל והקב״ה, קינות כמנהג ספרד, בספר ״אמרי נעם״
בדפוס ר׳ ישראל בן מנשה, אמשטרדם, 1629

ל תלמודנו באש... ע״פ קינה של מחבר אלמוני בן הדור
לכו לכם.. ע״פ קינתו של מרדכי בר יהודה מבלאניש
אברהם יערי: שריפת התלמוד באיטליה
יוסף הכהן: עמק הבכא
גרץ: תולדות
דובנוב: תולדות

ל״א כרוניקות בנות הזמן
מילות הפתיחה מאת מחבר מגילות האש

ל״ב כרוניקות שונות

ל״ג נתן הנובר: ״יוון מצולה״
הלפרין: בית ישראל בפולין
דובנוב: דברי ימי עם עולם
קובץ ״פרדס״
ברנפלד: ספר הדמעות, ג׳
כל בני עמי... ע״פ הקינה לזכר ת״ח ות״ט במחזור ספרדי ״קובץ על יד״

ל״ד ע״פ עדויות מפי קנטוניסטים שרשמו הסופרים ש. אנסקי וס. ביילין ע״פ אפרים לשצ׳ינסקי:
זכרונות של חייל ניקולייבי
שאול גינזבורג: קנטוניסטים יהודים

ל״ה י. ריבלין: עלילות דמשק

ל״ו י. רצהבי: ב״מנחה ליהודה״
הרב קאפח: משפטים בתימן
קינות בני הדור

י״ד ע״פ מכתבו של שלמה בר שמשון, נויבויאר־שטרן
ש. ברנפלד: ספר הדמעות
ב.צ. דינור: ישראל בגולה
חללי חללי חרב...: מספר הקינות של יואל הלוי
בת עמי...: ע״פ קינות תתנ״ו לר׳ קלונימוס

ט״ו הכותרת ע״פ קלונימוס בן יהודה
ברנפלד: ספר הדמעות
נויבויאר־שטרן: הגזירות הישנות

ט״ז א״מ הברמן: ספר גזירות אשכנז וצרפת
אפרים בר יעקב מבונא: ספר זכירה
בראדי: מבחר השירה
א. יעללינעק: קונטרס המקונן
ח. שירמן: מבחר השירה

י״ז הברמן: ספר גזירות אשכנז וצרפת
ברנפלד: ספר הדמעות
דינור: ישראל בגולה

י״ח ע״פ קינות על הגזירות במרוקו, קובץ שירמן וקינות
ר׳ אברהם אבן עזרא, מהדורת כהנא
ספר הקבלה והראב״ד
מכתבו של שלמה הכהן, ספר היובל ליצחק בער
דינור: ישראל בגולה

י״ט ברנפלד: ספר הדמעות
דינור: ישראל בגולה
וויליאם מניובור: כרוניקלס
השיר מאת מחבר מגילות האש

כ ע״פ מדרש תהלים, שוחר טוב
ע״פ ספר חסידים
הלכות הגנה וקידוש השם
הברמן: ספר גזירות אשכנז וצרפת
ברנפלד: ספר הדמעות
דינור: ישראל בגולה
Das Martyrologium des
Nueremburger Memorbuches

כ״א דינור: ישראל בגולה
ז. זאלפלד: ספר יזכור של קהילת נירנברג
בזכות הקדושים...ע״פ ספר אזכרת נשמות לקהילת קובלנץ

כ״ב ע״פ הקינה ״אנא יי אלהי השמים״ לחיים בן מכיר

כ״ג ע״פ הקינות של ר׳ ידעיה הבדרשי ואשתור הפרחי
ראה ״ספר מלחמות מצוה״, העתק כת״י משנת 1348
״כרם חמד״ והקדמה ל״כפתור ופרח״
שלמה אבן וירגא, שבט יהודה

כ״ד ברנפלד: ספר הדמעות
דינור: ישראל בגולה
כרוניקות שונות
קינת ר׳ מאיר בסליחות כמנהג וורמייזא

כ״ה הפיוט ע״פ תחינתו של צדקיהו הרופא מן הענוים ברומא, המאה ה־13
יוסף הכהן: עמק הבכא
ברנפלד: ספר הדמעות
דינור: ישראל בגולה

# מקורות

א ע״פ ספר האגדה

ב תהלים קל״ז
בן־גוריון ברדיצ׳בסקי: אגדות וצפונות

ג ע״פ מקבים א, ג
פלאויוס: קדמוניות

ד פלאויוס: מלחמות היהודים
דובנוב: דברי ימי עם עולם

ה המשפט הפותח (והחוזר) ע״פ ״מגילת האש״, ח.נ. ביאליק
הפיוט: עזרא הרביעי, ח, 21
פלאויוס: מלחמות היהודים

ו פלאויוס: מלחמות היהודים

ז מקורות תלמודיים: גיטין נ״ד, ע״א; ירושלמי סוכה פ״ה, נ״ה
מדרש עשר גלויות, נוסח א׳ ב׳
מקורות אחרים:
Corpus Papyrorum Judaicorum Vol. II
Magnes Press 1960
פלאויוס: מלחמות היהודים
דיו קאסיוס: אפיטומי
אורוסיוס: היסטוריה נחיי הפאגאנים
פרופ׳ ש. אפלבאום
י. לוי: עולמות נפגשים

ח הכותרת וקטע השיר ע״פ ש. טרשניחובסקי: לנכח הים
ג. אלון: תולדות היהודים בא״י בתקופת המשנה והתלמוד
ייבין: מלחמות בר כוכבא
י. ידין: בר כוכבא
אויסביוס: תולדות הכנסיה
דיו קסיוס
מקורות תלמודיים

ט סנהדרין ע״ד, ע״א
דובנוב: תולדות היהודים

י מדרש אלה אזכרה
ברכות ס״א, ע״ב
יהודה אבן שמואל: מדרשי גאולה

י״א סנהדרין י״ד, ע״א
מדרש אלה אזכרה
עבודה זרה י״ח, ע״א
ברכות ס״א
מדרש תנחומא, תולדות ה׳

י״ב ע״פ דובנוב: דברי ימי עם עולם

י״ג ע״פ בן זאב: היהודים בערב
ע״פ ח.ז. הירשברג: ישראל בערב
אבן הישאם
ריבלין: חיי מוחמד
ספר הישוב כרך א׳

## נ״ב וְנִזְכֹּר

את הצנחנים, שליחי ארץ־ישראל, שנחלצו לעזרת העם באירופה הנצורה, ולא שבו.

ונזכור
את מתנדבי החטיבה היהודית הלוחמת, את החיילים והקצינים היהודים בצבאות בעלות הברית,
שנפלו במערכה נגד גרמניה הנאצית.

ונזכור
את המעפילים האלמונים ומורי דרכם, שטבעו בימים ובלבם חזון העליה למולדת.

ונזכור
את עולי הגרדום שחרפו נפשם לחרות ישראל.

ונזכור
את עוז רוחם של לוחמי תנועת המרי ואת חיילי צבא ההגנה לישראל בשדות הקרב.

יזכור עם ואדם
את כל שנפלו במערכות גאולתו ובמותם צוו לנו את החיים.

## 52 And Let Us Remember

The parachutists, emissaries from Israel, who were the first to come to the aid of the nation besieged in Europe, and who did not return.

And let us remember
the volunteers of the fighting Jewish Brigade,
the Jewish soldiers and officers in the armies of the Allies who fell in the war against Nazi Germany.
And let us remember
the anonymous illegal immigrants and their leaders who drowned in the sea with a vision of their homeland.
And let us remember
those who went to the gallows risking their lives for the freedom of Israel.
And let us remember
the daring spirit of the fighters of the Resistance and the soldiers of the Israeli Defence Forces on the battlefields.
And let each one of us remember
all those who fell in the battles of redemption and in their deaths
commanded us to live.

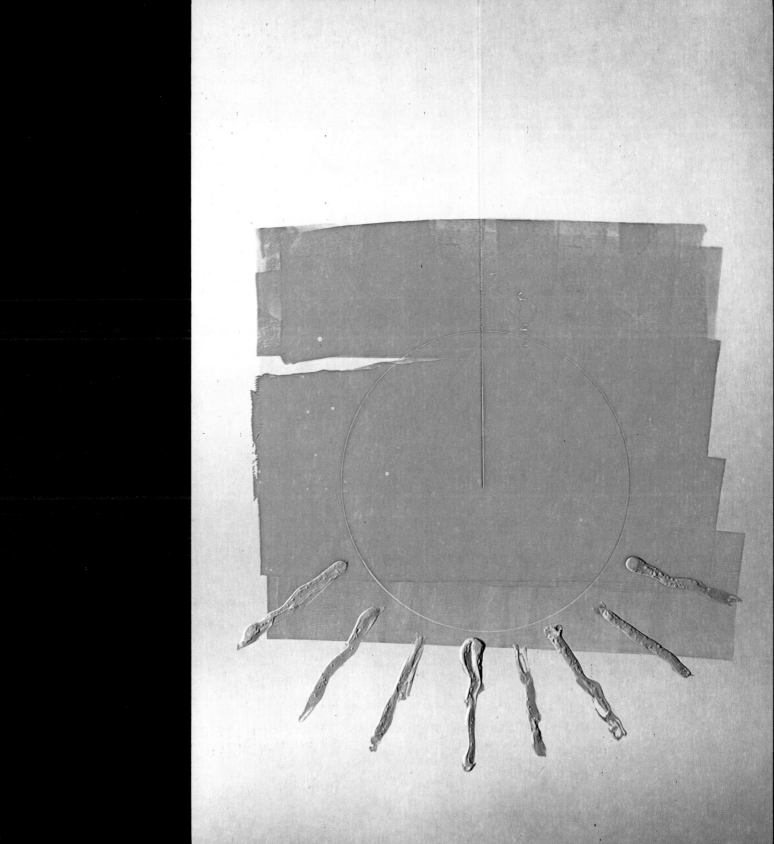

## נ״א מְגִילַת הַפֻּרְעָנוּת שֶׁלֹּא תַּמָּה

על אסירי ציון בברית המועצות הנרדפים מזה יובל שנים, ואין מרפה,
על סופרים עברים שנספו במחנות הריכוז בסיביר, בעוון נאמנותם לשפת אבות,
על מורים ותלמידיהם, שומרי גחלתה של תרבות ישראל, שהוסגרו לחקירות ועינויים,
על רופאים יהודים קרבנות עלילה מפלצתית,
על ראשי היוצרים בלשון יידיש, שנערפו בדם קר ברוסיה הסטאלינית ועוד האפר חם במשרפות אושוויץ;

יהא זכרם צרור במגילות האש
אשר לאומה העומדת על נפשה

## 51 The Scroll of Suffering That is Not Over

For the prisoners of Zion who have been continuously persecuted in the Soviet Union.
For Hebrew writers murdered in concentration camps in Siberia because of the sin of their loyalty to the language of their fathers
For teachers and their students guarding the culture of Israel, who were carried off to interrogations and torture
For Jewish physicians, victims of a monstrous libel
For the leading writers in the Yiddish language, beheaded in cold blood in Stalinist Russia while the ashes in the ovens of Auschwitz were still warm

Their memory will be preserved in the Scrolls of Fire
of the nation that fights for its life

## נ נֵר הָאַלְמוֹנִים

ביום ההוא יצאה השארית, שניים מעיר ואחד מעדה.
מהבונקר שמתחת להריסות יצאו אם וילדה. יצא הפליט מתעלות הביוב. יצאו השרידים מיערות
הפארטיזנים. יצא הניצול מאושוויץ. השמש זרחה באירופה והעולם חזר למסללו. הם עמדו על תלי
האפר ובלבם אבן רותחת;

עִיר.
עִיר.
אֵיךְ סוֹפְדִים לָהּ לְעִיר
שֶׁיּוֹשְׁבֶיהָ מֵתִים וּמֵתֶיהָ חַיִּים
בַּלֵּב:

## 50 The Candle of Anonymity

On that day the remmant came out: two from a city, one from a village.
A woman and her child came out of a bunker under the ruins.
A man came out of a sewer. Survivors came out of the forests of the Partisans.
The rescued came out of Auschwitz. In Europe the sun was shining — and the world was back on its course. They stood among heaps of ashes, a flaming stone in their hearts:

City.
City.
How mourn a city
Whose people are dead and whose dead are alive

על אדמת אירופ
1945

Europe 1945

# מ"ט קול הַזַּעַם

חורף של שנת 1944 קרב לקיצו. שבילי היער היו מפשירים ביום ובלילות חזרה האדמה ונקרשה כזכוכית חדה.
הפארטיזנים שהגיעו בחסות החשכה למבואותיה של העיירה נתפרסו לשני אגפים, הפלוגה הרוסית במערב ומדרום, על שפת הנהר הקפוא, התחפרה הפלוגה היהודית.
נותרו שבע דקות והם המתינו לאות. קולותיהם הרמים של החיילים הגרמנים נָדמו לאט מאחורי הבתים.
בין בתי העץ ההם יצאו שנות נעוריהם של ברוך ואורי. בין הסמטאות הללו היו משחקים וחולמים. בחורשה שליד בית העלמין הישן ידעו אהבה ראשונה. לחורשה זו שבגבעה הובלו משפחותיהם לטבח. נורה זיקוק אדום, ומאגף של זַיְצֶב נצטווחו בבת אחת:
קדימה, חברים, בעד המולד---ת!
באותו רגע נשמע קולו של ברוך, רם וברור ביידיש: בעד דמנו השפוך, חברים, בעד אחינו!
אורי התיר את הניצרה וזינק על רגליו. כל המלים נסוגו אחור. והוא לא שמע עוד דבר לבד מן האש שלפניו והקרח המתנפץ תחת רגליו השועטות.

# 49 The Sound and the Fury

The winter of 1944 was nearing its end. The paths in the forest were thawing by day, and at night the earth was frozen again like sharp glass.
The Partisans who reached the entrance of the village under cover of darkness split into two groups, the Russian company taking up positions in the west and south, while the Jewish company dug in on the bank of the frozen river. There were seven minutes to go before the awaited signal. The loud voices of the German soldiers slowly became silent behind the houses. Baruch and Uri had grown up among those wooden houses. They had played and dreamed in the alleys. In the woods near the old cemetery where they first experienced love, their families had been brought to be massacred.
A red flare was fired, and Zaytzev's group screamed all at once:
Forward comrades, for the sake of your homeland!
At the same moment, the voice of Baruch was heard loud and clear in Yiddish:
For the sake of spilled blood, comrades, for our brothers!
Uri released the pin and jumped to his feet. Words ceased. And he heard nothing else but the fire in front of him and the ice shattering under his feet.

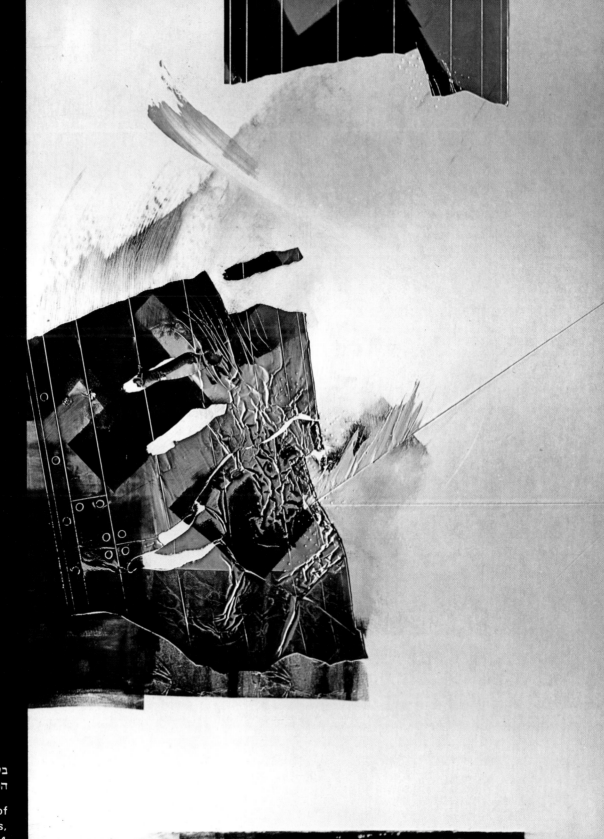

ביערות
הפארטיזנים, 1944

The Forests of
the Partisans,
1944

## מ״ח לְבַד עִם כֻּלָּם

היא עמדה ברחוב המוכר. קצה צמתה השחורה בין אצבעותיה וזרועה השניה חובקת את בובתה
עיניה שוטטו על פני החלונות המוגפים, והזר אמר לה: אין לך מה לחפש, ילדה.
את קרקוב עירי אני מחפשת.
זאת העיר. ולהיכן את רוצה?
אל בית הכנסת שלנו, לבית הכנסת של הרמ״א.
את מי תבקשי בבית הכנסת שלכם?
את אבי, החזן.
והוא אמר לה:
הַבָּתִּים האלה, ילדתי, הם ריקים.
ובכן, אני לבד, אמרה הילדה, אחרתי. אחַי הוסעו כולם בקרון חתום.

## 48 Alone With Everyone

She stood in a familiar street, the end of her black braid between her fingers, and one arm clutching her doll. Her eyes went back and forth over the closed windows, and a stranger told her:

– There is nothing to look for, child.
I'm looking for my city, Cracow.
– This is the city. Where do you want to go?
To our synagogue, the synagogue of the REMA.
– Who are you looking for in your synagogue?
My father, the cantor
And he said to her:
– These houses, my child, are empty.

So I'm alone, said the child. I'm late. My brothers were all taken in the sealed cars.

מְפַקֵּד

לכתוב לך. נפל דבר שהוא למעלה מחלומותינו הנועזים ביותר: הגרמנים ברחו

ם אחוז הגיטו בלהבות. מהערב אנו עוברים לשיטת לחימה פארטיזנית.
י לפניך את התנאים שבהם אנו נמצאים. רק יחידים יחזיקו מעמד, כל השאר יספו
חר. הגורל נחרץ. בבכל הבונקרים אי אפשר להדליק נר מחוסר אויר.
ירי. שאיפת חיי האחרונה נתמלאה. זכיתי לראות הגנה יהודית בגיטו בכל
ה.

(—) מרדכי אנילביץ׳

## 47 The Commander's Farewell

...I don't know what to tell you. Something has happened that is beyond our m
the Germans have been driven out of the Ghetto twice.
...For three days the Ghetto has been trapped in flames. Tonight we are cha
warfare.
...I can't describe our present conditions. Only a few will survive; everyone else
or later. Our fate is sealed. In all the bunkers you can't light a candle for lack
...Goodbye, dear friend, the last wish of my life has been fulfilled. I have been
Jewish defense in the Ghetto in all its greatness and glory.

(—) Mord

## וּוָה בָּאֵשׁ

ימי להבות והשתרבבו לשונות אש מעל גיטו וארשה.
ס תחתיו והשמים עטו נוגה מבעית. ומקרוב, מעבר לחומה, שטפו החיים כתמוי

לנים טיילו, שחקו וראו את העשן מתאבך ביום ואת עמוד האש בלילה. היו שהעז
ת הגיטו כדי להיטיב ראות "איך היהודים בוערים".
את האש והציתה את אחד הבתים בצד השני של החומה מיד חשו לשם הכבאים
אין מכַבה. היש לה מבַכה?

## 46 The Ghetto Burns

Every night seas of flame raged and tongues of fire circled above the Warsaw
House after house collapsed, and the sky took on a frightening light.
And nearby, beyond the wall, life continued as usual.
The citizens of the Polish capital went for strolls, amused themselves, and saw t
day and a pillar of fire by night. There were some who dared to come close to the g
better look at "how the Jews burn."
And when the wind carried the flames and set fire to a house on the other side o
rushed there at once. Only our fire has no one to put it out.

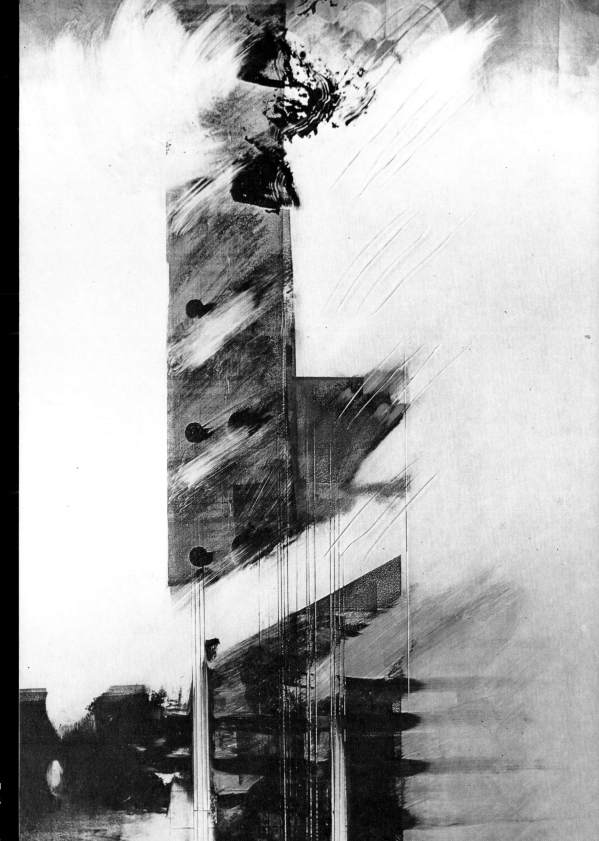

וארשה,
23 באפריל 1943

Warsaw,
April 23, 1943

## מה מֶרֶד הַיּוֹנִים

ערב חג הפסח הוקף גיטו וארשה. ממקום התצפית הבחנתי בטורי הצבא המתקדמים לאורך החומה
ראיתי את המון הקסדות מבהיקות בשמש הבוקר ולבי כמו עמד מלכת. שלפתי את ניצרת הרימו
והטלתיו מבעד לחלון. מרגע זה נהפך כל בית בגיטו לעמדת קרב. מן החלונית, בכל הקומות
המטירו אש לעבר הגרמנים והאוקראינים. בחלון הקומה שמעלי ניצבה דבורה. אחד החיילי
הבחין בה ונצטעק כנדהם אל חברו:
ראה, הַאנְס, יהודיה עם רובה!
הם כיוונו לעברה את נשקם, אך דבורה הקדימה והטילה בהם את הרימון היחידי שהיה ברשותה

## 45 The Revolt of the Doves

On the eve of Passover the Warsaw ghetto was surrounded. From the lookout I watched the army advancing in columns beside the wall. I saw masses of gleaming helmets in the morning sun, and my heart seemed to stop. I pulled the pin of the grenade and threw it out of the window.
From that moment every house in the Warsaw ghetto became a battle position.
From the windows, on every floor, fire was poured on the Germans and the Ukrainians. Deborah stood in the window above me.
A soldier noticed her and shouted to his friend as if shocked:
Look, Hans, a Jewish woman with a gun!
They aimed their rifles at her, but Deborah was quicker. She threw a grenade at them, the only one she had.

ואַרשה,
19 באפריל 1943

Warsaw,
April 19, 1943

## מ״ד קול קורא

יהודים, לא נלך כצאן לטבח!
נוער יהודי, אל תתנו אמון במוליכים אתכם שולל.
משמונים אלף יהודי ירושלים־דליטא שרדו אך 20 אלף.
...כל אשר הוצא משער הגיטו לא יחזור עוד. כל דרכי הגיסטאפו מובילות לפונאר.
ופונאר הוא מות. היטלר זומם להכחיד את כל יהודי אירופה. נפל בגורלם של יהודי ליטא להיו
ראשונים בתור.
אל נלך כצאן לטבח!
אכן חלשים וחסרי מגן אנחנו, אך התשובה היחידה למרצח היא התגוננות!
אחים! טוב ליפול כלוחמים בני־חורין מלחיות בחסד מרצחים.
נתגונן! נתגונן עד נשימת אפינו האחרונה!

## 44 Proclamation

Jews, we won't go like sheep to the slaughter!
Jewish youth, don't trust those who fool you.
Out of 80,000 Jews in the Jerusalem of Lithuania, only 20,000 remain...
Whoever is taken through the gate of the ghetto will not come back again.
All the ways of the Gestapo lead to Ponary. And Ponary is death.
Hitler is plotting to wipe out all the Jews in Europe. It is the fate of Lithuanian Jews to be the first in line.
Let us not go like sheep to the slaughter!
Indeed we are weak and without weapons, but the only answer to the murderer is Self-defense!
Brothers! It is better to die as free fighters than to live by the grace of murderers.
We will defend ourselves! We will defend ourselves to the last breath!

גיטו וילנה,
1 בינואר
1942

Vilna Ghetto,
uary 1, 1942

## מ״ג עַם בְּחִירָה

מיום שלישי ועד שבת נמשכה אקצית הילדים. אמהות ניסו לגונן על עולליהן, הן הוכו עד דם והילדים הוצאו. הילדים הוטענו, נזרקו לקרונות המשא. אם יהודיה, שמזרועותיה נתלשו בכוח שלושת ילדיה, נזדעקה בקול לא־לה. היא לא בכתה, היתה זו שאגה אדירה, שפילחה את האויר מסוף הרציף ועד סופו, מחרישה באימתה את כל הקולות האחרים, כקול חיה מיטרפת בפצעיה. אף הגרמנים נזדעזעו והקצין אמר לה: ״עלי מהר לקרון והוציאי את ילדך — ״
נשימתנו נעצרה כדי רגע והגרמני הוסיף:
״אך עליך לבחור אחד, שומעת יהודיה, רק אחד!״
עד שהאם עלתה בכבש הקרון פשטו הילדים את זרועותיהם והחזיקו בה. שלושתם בכו: ״אמא, הצילי אותנו, אמא!״
האם קפאה תחתיה, חושֶיה ניטשטשו
והיא הוצאה מהקרון בידים ריקות.

## 43 The Chosen People

The rounding-up of the children went on from Tuesday to Saturday. Mothers tried to protect their babies. They were beaten until they bled, and the children were taken away.
The children were thrown on to freight cars. A mother, whose three children were brutally torn from her arms, screamed out, beside herself. She did not weep; it was a great howl that pierced the wind from one end of the platform to the other. Silencing all other voices by its terror, it was like the cry of a wounded animal. Even the Germans were shocked, and the officer told her:
''Climb quickly into the wagon and take out your child —''
Our breath stopped for a moment, and the officer added:
''But you have to choose one, do you hear, Jew, only one!''
When the mother climbed up to the freight car, the children stretched out their arms and held her.
The three of them cried, ''Mother, save us, mother!''
The mother froze. Everything blurred, and she was taken out of the car with empty hands.

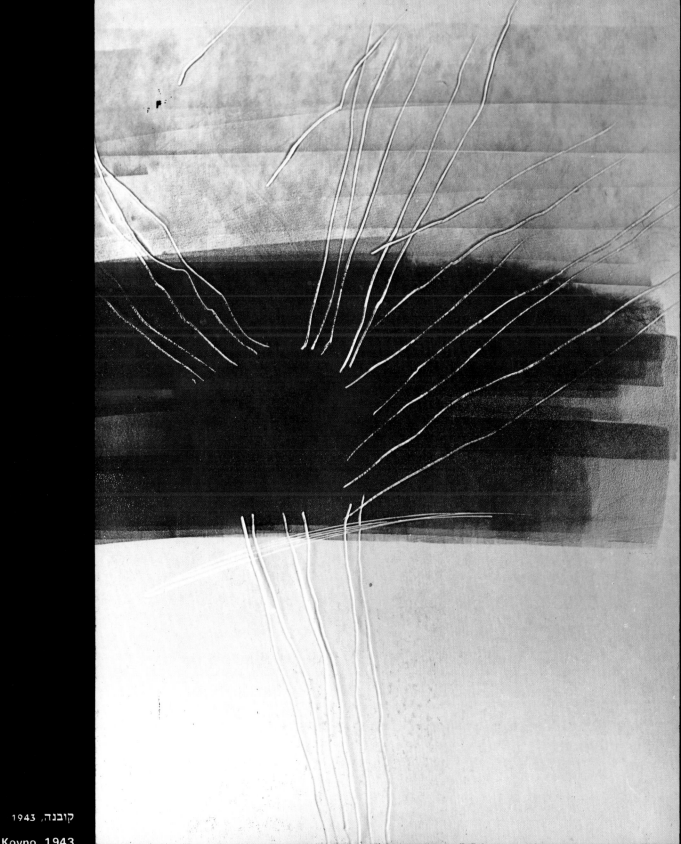

קובנה, 1943

Kovno, 1943

## מ״ב קַמְצוּץ שֶׁלֶג

אנו עוברים ביעף על פני תחנות וגשרים ומאז הבוקר ברור לכולנו שמסיעים אותנו לאושוויץ. אך האנשים בקרון חושבים רק על דבר אחד — מים, מעט מים. חירחור של גוססים עולה מסביב והמתעלפים תלויים ועומדים באין מקום להשתרע.
בן 12 הייתי ואחי הצעיר לידי מכוסה זיעה. בכל כוחי אני נדחק לעבר האשנב המסורג וגורר אותו עמי.
״אל תוציא את ידך, זה מסוכן, ילד!״ גוערים בי. אך אני חוזר ומנסה לחפון מעט מהשלג שבחוץ. לא אשכח לעולם את הרגע הזה כשהצלחתי לבסוף לגרוף קמצוץ ממנו! אני נושא אותו בחָפני כמו גוזל פצוע ורוצה להקריבו אל שפתי אחי. נערים אחרים הושיטו לשון בבקשם ללקק ואני חרקתי שן והחפתי אותם. ואז ראיתי אשה מאבדת את הכרתה ותינוק בחיקה.
נתתי לה את קמצוץ השלג האחרון ואחי אמר:
בכלל אני לא צמא.
נשקתי לו ושנינו פרצנו בבכי מר. נשמעה צפירה ארוכה, הרכבת התקרבה לאושוויץ.

## 42 A Flake of Snow

We were moving swiftly past railroad stations and bridges, and ever since the morning it was clear to all of us that we were being taken to Auschwitz. But the people in the boxcars thought of only one thing — water, a little water. The death rattle of dying men was heard all around; people fainted but were left standing because there was no room to fall.
I was twelve years old, and my little brother next to me was sweating all over. With all my strength I shoved myself up toward the barred hatch, dragging him with me.
''Don't put your hand out, it's dangerous, child!'' they warned me. But I tried again to grab a handful of snow from outside. I'll never forget the moment when I finally managed to scoop up some flakes! I carried the snow in my cupped hands like a small wounded bird, and wanted to offer it to the lips of my brother. Other children stuck out their tongues, begging to lick the snow, but I gritted my teeth and pushed them away. And then I saw a woman fainting, with a baby at her breast. I gave her the last flake of snow, and my brother said:
I'm not thirsty at all.
I kissed him, and we both burst into bitter tears. There was a long whistle. The train came into Auschwitz.

זגלמביה, 1942

Zaglembia, 1942

## מ"א אַבָּא אַבָּא

השעה 5 לפנות בוקר. מכל החצרות כבר נדחפים האנשים. רדופים מצווחות הגרמנים וקתות רוביהם אנו יורדים בבהלה לרחוב המלא על גדותיו גברים, נשים וילדים. כל אחד מנסה להידחק בקרב ההמון פנימה, שלא להיות קרוב לשוטרים. המבוגרים נושאים חבילות גדולות, צרורות בסדינים, על כתפיהם. אני אינני בוכה, רק מחזיקה חזק בכף ידו הגדולה של אבא. ידו לַחָה ואני מתרפקת עליו בלי להוציא הגה. אנחנו צועדים.
אינני רואה לאן, כי לפנַי אנשים ומעליהם החבילות. כשאני מציצה מבעד לכנף מעילו של אבי ורואה את קומתו המוצקה, נפוג הפחד מלבי ואני משתדלת להחזיק לו צעד, סמוך־סמוך לצדו. כשלפתע נשמע קול מחריד מראש הטור, בגרמנית, והמון האנשים כמו נבקע לשניים. ידו של אבי נותקה ממני במכה אחת, אבא!
איפה אבא!

## 41 Father, Father

It's five in the morning. People are being pushed out of all the yards. Driven by the shouts of the Germans, and their rifle butts, we go in confusion down to the street teeming with men, women, and children. Everyone tries to squeeze into the center of the crowd in order to get away from the police. The grown-ups carry large bundles, wrapped in bed sheets, on their shoulders. I am not crying, only holding tightly on to my father's hand. His hand is wet, and I hang on to him without making a sound. We march.
I can't see where because in front of me there are people with bundles on top of them. When I peek through the flap of my father's coat and see how tall and big he is, I'm not so scared, and I try to keep up with him, staying very close to his side. Suddenly there's a terrifying voice from the front of the line, in German, and the mass of people is split in two. My father's hands is wrenched from mine. Father!
Where is father?

גיטו מינסק, 1941

Minsk Ghetto,
1941

# מ מִמַּעֲמַקִּים

שרה פוקס היתה מהפכנית ברוסיה, מן הלוחמות האמיצות שיצאו משורות המפלג
הסוציאליסטית "בונד". בשנת 1919 היא נתמנתה לנציגה של ועד העזרה למען נפגעי הפוגרומים
בקיוב.
בתוקף תפקידה היא עברה לאָרכּה ולרָחבה של אוקראינה וראתה את עיירות ישראל השדודו
מוטלות בלי הכרה.
פתאום נשרו מעליה דגלי הימים והצעיפים ורוסיה מפלצתית הביטה בה בעיני המאה השחורה
לאחר שגבתה עדויות מפורטות מניצולי הטבח, היא הגישה את הדו"ח לועד המרכזי.
חברים, ניסתה שרה לומר, ראיתי את האמת. אך החברים לא הבינו.
שרה פוקס היתה בת 28. בו ביום היא הטביעה את עצמה בנהר הדנייפר. יהא זכרה צרור עם כ
אחינו ואחיותינו שבמותם ציוו לנו את החיים.

# 40 Out of the Depths

Sarah Fuchs was a revolutionary in Russia, one of the bravest fighters in the ranks of the Socialist
arty, the "Bund." In 1919 she was nominated as the representative of the Committee on Aid for
he people injured in the pogroms in Kiev.
n this capacity she crossed the length and breadth of the Ukraine and saw how the Jewish villages
vere plundered. Suddenly flags fell, veils fell, and Russia looked at her with monstrous eyes.
After she took detailed testimonies from the survivors of the massacre, she presented the report to
he Central Committee.
Comrades, Sarah tried to say, I've seen the truth.
But the Comrades didn't understand.
Sarah Fuchs was twenty-eight. On that same day she drowned herself in the Dnieper River.
Her memory will be preserved with all our brothers and sisters who, in their death, commanded us
o live.

פרעות פטליוריה,
1919

**Petlyura
Pogroms, 1919**

צרורות היו מוטלים לפנינו על הקרקע, כבשעת שריפה תמיד היינו מוכנים. כי שוב באו המוראים
הגדולים ובתי ישראל ברוסיה רעדו ברוח.
בארשת של יסורי נפש הביטו הורים על ילדיהם. בלב כולם ניקרה השאלה: לאן לברוח, לאן להולי
את הילדים — מתי יתחיל הדבר? פקודות חשאיות הקהילו את ההמונים, מפרברי הערים ומכפר
הסביבה. הפורעים היו מזוינים בשרשראות ברזל, אנקולים, גרזינים ורובים, בראשם רכבו חיילי
וקציניהם.
אחינו המבוגרים התכנסו בחדרי סתר והשמועה הציתה לבבות: גדודי בר כוכבא יעמדו לנו לעת
צרה!
בלילה ההוא הייתי עם הנערים ב"חדר" והרבי משנן עמנו את פרשת תולדות. נרעש ממראות היום
שקעתי בהרהורי וכשהגיע תורי לפסוק את פסוקי נתמלטו מפי מבלי משים המלים:
הַקּוֹל קוֹל עֵשָׂו וְהַיָּדַיִם יְדֵי יַעֲקֹב...
מיד השפלתי את עיני מחשש שהרבי ינחית סטירה על לחיי בעבור השגיאה. אבל הרבי ישב מחריש
שעה ארוכה ופתאום האירו עיניו מאד מאד:
בני, אמר, שותא דינוקא...
דיבור של תינוק מִשל אבינו שבשמים הוא, מי יתן ויתקיים!
באותו רגע בקעו יריות בחוץ וכנגדם נשמעה תקיעת שברים של שופר. לבי הלם כפטיש. אני ידעתי
כי אחי הוא התוקע והפעם זו סיסמת ההגנה העצמית הקוראת ליהודים לעמוד על
נפשם.

## 39 Blowing of the Shofar

The bundles were lying in front of us on the ground because in times of fire we were always ready.
Once again there was great fear and Jewish homes in Russia shook in the wind.
All their suffering in their faces, parents looked at their children.
Questions gnawed at every heart:
Where could we escape to? Where could we take the children? When would it start?
Secret commands summoned crowds from the outskirts of the city and the surrounding villages
The mob was armed with iron chains, hooks, axes and rifles; soldiers and officers rode at their head
Our older brothers met together in a hideout, and a rumour gave them some hope: the regiments of
Bar Kokhba would fight for us in time of need.
That night I was at Heder with the other boys, and the Rabbi was teaching us the Chapter starting
"And these are the generations..." Excited by what I'd seen that day, I was deep in thought, and
when my turn came to read my portion, these words came from my mouth unintentionally:
The voice is Esau's voice, but the hands are the hands of Jacob... At once I lowered my eyes, afraid
that the Rabbi would slap my face because of the mistake. But the Rabbi was silent for a long time
Suddenly his eyes glowed. "My son," he said, "the words of a child belong to our Father in heaven
may they be fulfilled!"
At that moment there were shots outside, and at the same time we heard the broken sounds of the
*shofar*. My heart pounded like a hammer. I knew that it was my brother who was blowing the

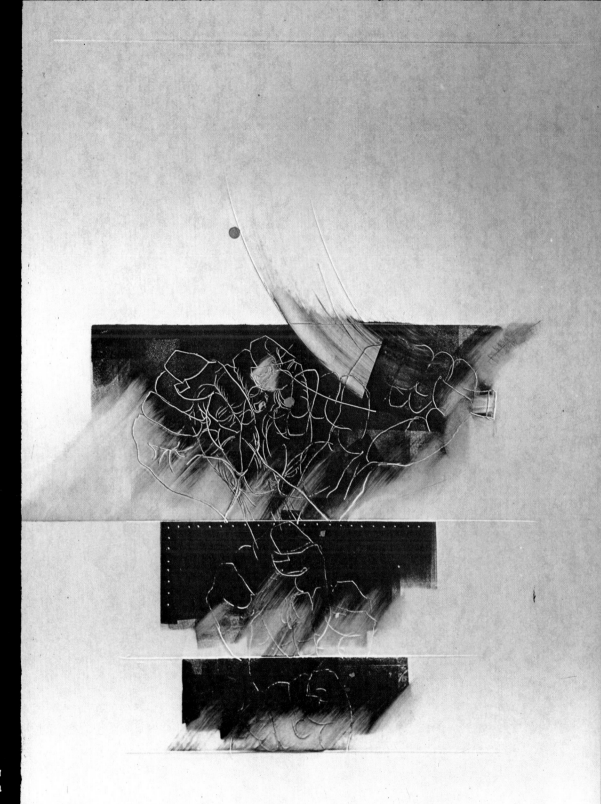

הגנה עצמית
בפרעות 1905

Self-Defense
During the
Pogroms, 1905

## ל״ח עַל הַשְּׁחִיטָה

שָׁמַיִם! בַּקְּשׁוּ רַחֲמִים עָלָי!
אִם־יֵשׁ בָּכֶם אֵל וְלָאֵל בָּכֶם נָתִיב —
וַאֲנִי לֹא מְצָאתִיו —
הִתְפַּלְּלוּ אַתֶּם עָלָי!
אֲנִי — לִבִּי מֵת וְאֵין עוֹד תְּפִלָּה בִּשְׂפָתָי,
וּכְבָר אָזְלַת יָד אַף אֵין תִּקְוָה עוֹד —
עַד־מָתַי, עַד־אָנָה, עַד מָתָי?

## 38 On The Slaughter

Sky! Beg mercy for me!
If there's a God in you, a way to Him
I have not found —
Pray for me!
My heart is dead, no prayer is on my lips,
I'm helpless, and there's no more hope —
Till when... how long... till when?

ועות בַּנֶּגֶב

ימה חשכה גדולה. מקצה רוסיה ועד סופה הציף נחשול פרעות. המונים־המונים התנפלו
שפוכה על בתינו.
יום הם הושקו לשָׁכרה. את ברכת הדרך העניקו להם הכמרים, את הסיסמה — "הכה
י והצל את רוסיה!" — סיפקה האינטליגנציה, המשטרה נתנה להם חסינות. הם היו מוכנים.
פינו להם כל הלילה

| | | |
|---|---|---|
| ריל — ביֶליסוטוגראד, | 27 בפאריל — בקייב, | 2 במאי — בבאלטה, |
| ריל — בקישֶׁניב, | 1 במאי — במינסק, | 3 במאי — באודיסה |

ה מכל היתה הציפייה הזאת לפוגרום.

לפנות בוקר, בעודי על משכבי, שמעתי את קולה של סבתא:
לאן נוליך את היתומים? הם באים לשחוט את כולנו!"
חותי הקטנה היינו היתומים. הדוד נחום אמר:
תתר בדיר!"
חום היה יהודי ענק, ידוע באומץ לבו. הוא יצא לחצר וניסה לעמוד על נפשו. בו במקום
הו הפורעים במטילי ברזל.

## 37 Storms in the South

And behold a great dark terror. From one end of Russia to the other, a wave of pogrom
Huge mobs attacked our houses with overwhelming fury.
They got drunk before nightfall. Priests blessed them as they set out.
The slogan — "Beat the Jews and Save Russia!" — was provided by the intelligentsia, an
gave them immunity.
They were ready —
And we waited for them every night:

| | | |
|---|---|---|
| 15 April Yelizavetgrad | 27 April Kiev | 2 May Balta |
| 20 April Kishinev | 1 May Minsk | 3 May Odessa |

....Worse than anything was the waiting for the pogrom.

At four in the morning while I was still in my bed, I heard my grandmother's voice:
"Nahum! Where can we take the orphans? They are coming to slaughter us all!"
My little sister and I were orphans. Uncle Nahum said:
"We won't hide in the shed!"
Uncle Nahum was an enormous man, famous for his courage. He went out in the ya

פרעות ברוסיה,
1883–1881

Pogroms in
South Russia,
1881–1883

"אין ליהודים רשות... לרכב על בהמה ברגלים פשוקות אלא רק ברגלים בצד אחד".
סבל והשפלות היו מנת חלקם של יהודי תימן בימי גלותם. היו שליטים שהתאכזרו בהם בגזירות
שמד והחרבת בתי כנסת. בשנת 1818 פרעו פרעות בעיר צנעא. וקמו לנו בחורים גבורים שהשיבו
מלחמה שערה. עשרה מהם, זכר קדושים לברכה, נתפסו ונערפו בכיכר. ובספרי התורה עשו
הרשעים נעלים.
וזכורה לאימה גזירת היתומים.
עוד בשנת 1928 חידשו את החוק הישן המתיר למוסלמים לקחת כל ילד יהודי, בן או בת, שנתיתמו
מהוריהם ולהעבירם לדת מוחמד, והמסתיר יתום מתחייב בנפשו.
והיה קול המעונים עולה מכיכר הגרדום:
שמע ישראל ה' אלהינו, הננו לטבח!

## 36 Feet To One Side

"Jews are not permitted... to ride astride animals, but must keep their feet to one side."
Suffering and humiliation were the lot of the Jews of Yemen during their exile. The rulers were cruel, issuing decrees of conversion and destroying synagogues.
In the year 1818 there were pogroms in the city of San'a. And heroic young men rose up among us and fought back. Ten of them, may their memories be blessed, were caught and beheaded in the square. And evil men made shoes out of the Torah Scroll.
The decrees concerning orphans are memorable for their terror. In 1928 an old law was revived permitting Moslems to take every Jewish child, son or daughter, orphaned from its parents, and to convert them to the religion of Mohammed. And anyone who hid an orphan was liable to forfeit his life.
The cries of the tortured rose from the gallows square:
Hear O Israel, Oh Lord our God, here we are for the massacre!

משפטים בתימן,
מאות 19—20

Trials in Yemen,
19th and 20th
centuries

עלילות הדם שנפוצו בארצות הנוצריות של אירופה לא נשתרשו במזרח, עד לאמצע המאה התשע
עשרה. רבים וטובים אף סבורים היו, כי תועבה זו זרה היא לרוח האסלם. וכשהרים הפחה של דמשק
את ידו על הרב ואיים עליו:
"יחתכו את לשונו תיכף ומיד!" אם לא יגלה שמות היהודים שרצחו איש נוצרי והקיזו מדמו למצו
של פסח —
עדיין עמד רבנו יעקב ענתבי כנדהם וניסה להשיב דברים נכוחים: "שקר הוא, ואין לי אלא דמי!"
רבנו לא שיער את גודל הפורענות המתרגשת. בשבת קודש הוכרחו היהודים לפתוח את הקברים
בבית העלמין.
בתיהם נפרצו. ראשים נופצו. נכבדי הקהל נגררו לצינוק.
צפרני המעונים נעקרו.
אבריהם של שבעים נחקרים רוסקו ומי שלא מת נכפה להעיד עדות שקר. את רוחו של רבי יעקב
ענתבי לא שברו,
הוא גבורה של מגילת דמשק.

## 35 I Have Nothing but My Own Blood

The blood libels that spread throughout the Christian countries of Europe did not take root in the East until the middle of the nineteenth century. There were many decent people who believed this abomination was alien to the spirit of Islam. And when the Pasha of Damascus raised his hand against the Rabbi and threatened to cut off his tongue at once, unless he revealed the names of Jews who had murdered a Christian and used his blood for the Passover *matzot,* our Rabbi Jacob Antibi was stunned and tried to respond with honest words:

It's a lie. I have nothing but my own blood!

Our Rabbi could not imagine the magnitude of the threatening catastrophe. On the holy Sabbath Jews were compelled to open the graves in the cemetery.

Their houses were broken into. Heads were smashed. Elders of the community were dragged off to prison. The fingernails of the tortured were torn out. The limbs of seventy men who were interrogated were crushed, and those who did not die were forced to give false testimony.

עלילת דם בדמשק,
1840

Blood Libel in
Damascus, 1840

אבי סבך, מיכאל, חגג את יום הולדתו העשירי כשנחטף מזרועות הוריו ונידון לעשרים וחמש שנות
שרות בצבא הרוסי.
היה זה אור לנר שלישי של חנוכה, בשנה שבה הוצאו רבבות ילדי היהודים מבתיהם והובלו
בשיירות. מיכאל הוכנס לשיירה שמנתה 3900 ילדים, בהם צעירים ממנו בשנתיים.
הם הובלו ברגל מאות קילומטרים עד מקום גלותם בסיביר. היו מצעידים את הילדים עשר שעות
ביום, והחיילים המלווים מלקים אותם במגלבים. שליש מהם מתו בדרך, ורבים אושפזו בבתי חולים
כטולי הכרה. בחניות הביניים נצטוו הילדים לכרוע ברך שעות ארוכות בבוץ, והקצין פקד:
הרוצה להתנצר — קדימה!
היו מכסים את ראשיהם בשקים ומצניחים אותם ממגדל גבוה, והקצין למטה מכריז:
הרוצה להתנצר — קדימה!
היו מטבילים את ראשיהם בנהר והקצין, לעיני המון צוחק, צווח: מי שנשמתו היהודונית עדיין
בקרבו — יישן עם החזירים בדיר!
כשהגיע מיכאל לקאזאן והוכנס לקסרקטין היה בן עשר וחמשה חדשים. החיילים גילו על גופו את
ארבע־הכנפות. הם הדליקו את הציציות וחרכו בהן את ריסי עיניו של הילד.
הוא סירב לטעום מבשר החזיר כל שנות עבדותו.

אבי־סבך, בני, נפל בגבורים בהגנה על סבסטופול, במלחמה לא־לו, ולא הובא לקבר ישראל.

## 34 Of Children Who Were Captured

Michael, the father of your grandfather, was celebrating his tenth birthday when he was kidnapped from the arms of his parents and sentenced to twenty-five years of service in the Russian Army. It was the third day of Chanukah in the year when tens of thousands of Jewish children were taken from their homes and transported in convoys. Michael was put in a convoy of 3,900 children, some of them two years younger than he. They were led on foot for hundreds of miles until they reached their place of exile in Siberia. They marched the children ten hours a day, and the soldiers accompanying them beat them with whips. One-third of them died on the way; many were taken to hospitals unconscious. In makeshift camps along the way, the children were ordered to kneel for hours in the mud, and the officer comanded:

Those who want to convert to Christianity — step forward!

And they covered their heads with sacks and threw them down from a high tower, while the officer at the bottom declared:

Those who want to convert to Christianity — step forward!

And they baptized them in the river, and the officer in front of the laughing mob screamed:

Those whose Jewish souls are still with them — will sleep with pigs in their pen!

When Michael reached Kazan and was put into the barracks, he was ten years and five months old. The soldiers discovered the four-fringed garment (*arba-hacanfot*) on his body, they set fire to the fringes, and burned the child's eyelids with them.

And he refused to taste pork all the years of his slavery.

The father of your grandfather, my son, fell as a hero in defense of Sevastopol, in a war not his

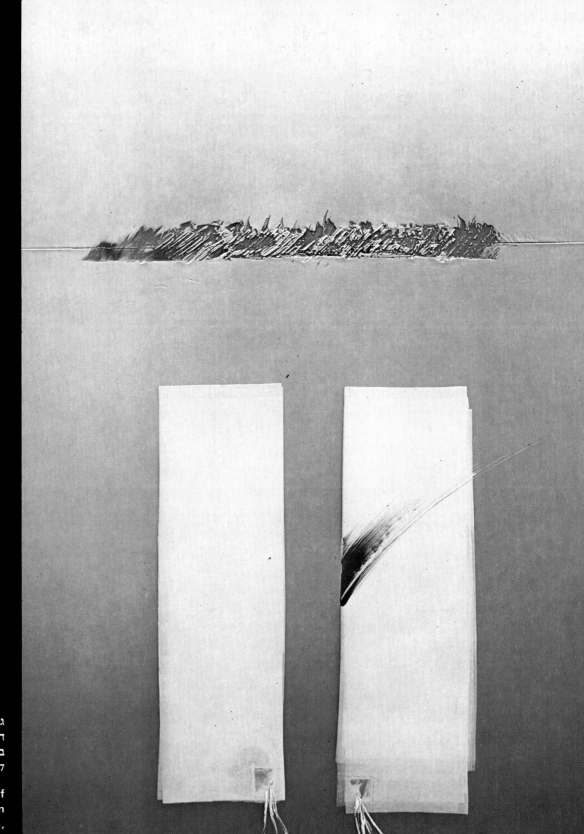

גזירות
הקאנטוניסטים
ברוסיה,
1854–1827

The Decree of
the Cantonists in
Russia,
1827–1854

## ל״ג ת״ח ות״ט: עַל גְּבוּל הַכִּלָּיוֹן

כל לילה רתחו ימי להבות מעל בתי ישראל בנתיב הדמים של הקוזאקים. אחרי שהצורר חמֶיל, הוא
חמלניצקי ימ״ש, פשט על העיר נמירוב, קם הצורר קריבונוס ועלה בראש עשרת אלפים איש עם
קהילת טולצ׳ין. והעירונים הפולנים התנו עם היהודים לעמוד שכם אחד.
ויתבצרו שני אלפים יהודים חמושים במיבצר טול׳צין וילחמו בקוזאקים. עד שבגדו השרים הפולנים
בבני בריתם ויפרו שבועתם. והיהודים נותרו לבדם ויעמדו על החומה עד כלות כוחם.
ובעיר אומָאן עמדו היהודים על נפשם לבדם והתייצבו אל מול פני האויב עד הבוקר.
ונהרגו במיתות קשות. את עורם פשטו מעליהם ואת אבריהם הקצוצים השליכו הקוזאקים לכלבים
ילדים נשחטו בחיק אמותיהם או נצלו חיים בשיפודים על האש.
ולא היתה זו אלא ראשיתה של התבערה הגדולה.
עמדנו על גבול הכליון.

כָּל בְּנֵי עַמִּי הַמְדֻקָּרִים
מִדָּמָם נִתְמַלְּאוּ עָרִים;

## 33 On the Edge of Annihilation

Every night seas of flame raged upon the houses of Israel in the bloody wake of the Cossacks.
After the tyrant Chmielnicki, may he be cursed, stormed the city of Nemirov, another tyrant,
Krivonos, advanced on the community of Tulchin, at the head of 10,000 men.
The Poles made a pact with the Jews to stand together.
And two thousand Jews entrenched themselves in the fortress of Tulchin to fight the Cossacks,
but the Polish nobles betrayed their allies and broke their pledge. The Jews were left alone and
went on fighting until their strength gave out.
And in the city of Uman Jews fought for their lives alone. They stood against the enemy until
morning when they were put to death cruelly. The Cossacks stripped off their skin and threw their
severed limbs to the dogs. Children were killed at their mothers' breasts, or roasted alive on spits
over the fire.
And this was only the beginning of the great conflagration.
We were on the edge of annihilation.

All the sons of my people are stabbed
The cities are full of their blood

השמדה המונית
של יהודים
על ידי הקוזאקים,
הפולנים, הרוסים
והשוודים,
1666 — 1648

Massacres of
Jews by the
Cossacks, Poles,
Russians and
Swedes,
1648, 1666

מדען מפורסם במושבה הפורטוגזית גואה, מת ב־1568. 12 שנה לאחר מותו הוצאה גופתו מן הקבר
הובאה ל"משפט" האינקוויזיציה, באשמת קיום מצוות היהדות בסתר. נשרפה ואפרה נזרק למימי
האוקינוס.
פרנצסקה נונז,
אחותו של האדמיראל קרווחל, נמלטה מספרד ונתפסה במקסיקו, הועלתה על המוקד עם ארבעת
ילדיה, 1596.
פרנציסקו דה סילבה, רופא.
חזר ליהדותו בסתר, נתפס ונשרף בלימה שבפרו, 1639.
אנטוניו הומם,
נכד הרופא האָנוס מספרד, משה בואֶנו מאפורטו, נשרף בקואימברה, 1624.
יצחק דה קסטרו,
נתפס ברסיפה שבבּרַזיל והוסגר לאינקוויזיציה בפורטוגאל. נשרף בליסבון, 1647.
ב־11 באפריל 1649 שמעו תושבי העיר מקסיקו את קריאתם האחרונה של 109 אנוסים מתוך
המוקד:
שמע ישראל ה׳ אלהינו ה׳ אחד!

## 32 To the Ends of the Earth: A Page from the Notebook of the Marranos

Gracia da Orta,
a famous scientist in the Portuguese colony of Goa, died in 1568. Twelve years after his death his body was removed from its grave and brought to "trial" by the Inquisition, charged with observing the Jewish commandments in secret. His corpse was burned and his ashes thrown into the ocean.
Francisca Nunez,
sister of Admiral Carvajal, escaped from Spain. She was caught in Mexico, and was set on fire with her four children in 1596.
Francisco de Silva,
a doctor, returned to Judaism secretly. He was caught and burned in Lima, Peru, 1639.
Antonio Homem,
grandson of the Spanish Marrano doctor Moses Bueno of Oporto, was burned in Coimbra, 1624.
Isaac de Castro
was caught in Recife, Brazil, and was turned over to the Inquisition in Portugal. He was burned in Lisbon in 1647.
April 11, 1649, the citizens of Mexico City heard the last cry of 109 Marranos from the fire:

שריפת האנוסים
במאות ה־16–17

The Burning of
the Marranos,
16th and 17th
centuries

## ל"א חָשְׁכוּ מְאוֹרוֹת

מִי שֶׁלֵּב לוֹ חַיָּב לִשְׁמֹעַ וּלְהַיְשִׁיר מַבָּט:
עִם כְּלֵי נַגֵּן וּמַקְהֵלוֹת צְלָלִים
שִׂנְאַת יִשְׂרָאֵל יָפִיחוּ עַל בָּמוֹת יִשְׂחָק —

ברומא, בערי איטליה, שוויץ וגרמניה, עורכים את המחזה האֱמונתי על תולדות ישו וצליבתו. מדי שנה בשנה יעמידו את הבמות בכיכר הקתדראלה, או לפני מדרגות הכנסיה, האפיריונים יוארו בנהר זיקוקין ולפידים, ורחובות היהודים יחשכו.
אחדים — יתארו את חייו של ישו, אחדים — את פצעיו, במקהלת צללים ישירו על אודותם ימים ולילות רצופים. שוב אין המילים נשמעות, רק צליל האיבה החד.
וכששפתי אדם, שאין לו מה לומר עוד ימלמלו:
דמוֹ!
דמוֹ!
אז תעלה שאגת ההמונים — עליהם ועל בניהם! — והיא חודרת כסכין אל בתי היהודים.

## 31 The Lights Have Gone Out

He who has a heart should listen and watch closely: with musical instruments and choirs of shadows the hatred of Israel swells on the stage —
In Rome and other cities in Italy, Switzerland and Germany, religious plays about Jesus and his Crucifixion are performed.
Year after year the stage is set in the cathedral square or before the stairs of the church. The canopies are lit by a river of fireworks and torches, and the streets of the Jews go dark.
Some of the plays describe the life of Jesus; others, his wounds. In a choir of shadows they go on singing day and night until the words are no longer heard, only the sharp sound of hatred.
And when the lips of a man with nothing to say still stammer —
His blood!
His blood!
— then the mob cries out: — On them and their sons!
And it pierces the homes of Jews like a knife.

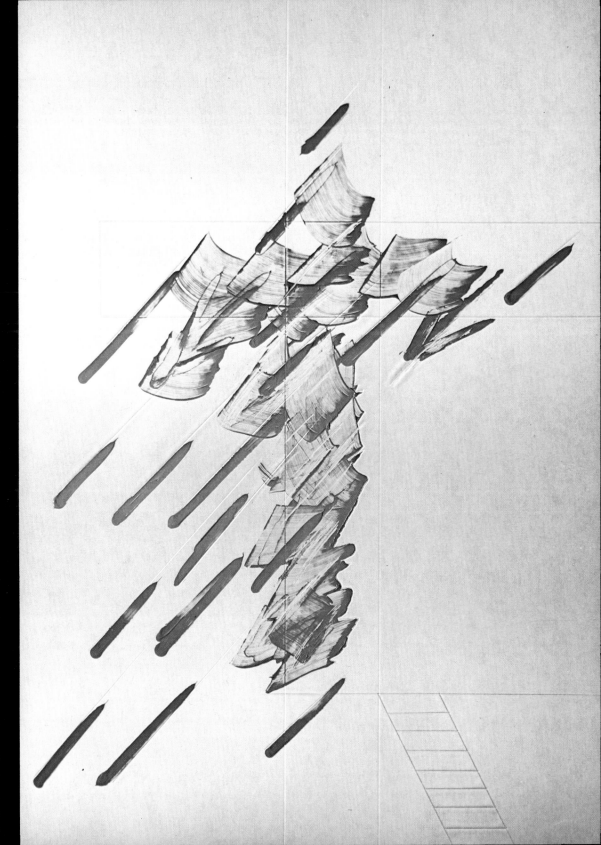

מחזות
"צליבת ישו",
מעוררי הפרעות,
במאה ה־16

16th Century
Passion Plays
that caused the
pogroms

ל תַּלְמוּדֵנוּ בָּאֵשׁ נִשְׂרָף

דומה שלא ידענו מעולם בכי כזה של אנשים חיים המבכים את יקיריהם כפי שקונן עם היהודי
על מות הספר.
ביום א׳ דראש השנה, שנת שי״ג, גזר האפיפיור יוליוס השלישי להחרים ולשרוף את התלמוד
שליחי האינקוויזיציה שפשטו ברומא, וֶנציה וקרימונה, לא הבחינו בין התלמוד ושאר ספרים. כ
ספר עברי הוצא מבתי היהודים והוטל על המוקד בכיכר קמפו־דה־פיורי שברומא —

לְכוּ לָכֶם וְשַׂק שִׂימוּ כְּסוּתְכֶם / בְּכוּ בָכֹה לְאוֹר תּוֹרָה וְכִתְרָה — — —

לאורך כל הגלות ידענו גזירות קשות. התנסינו בהשפלות, בגירוש ואבדן נפשות. אך נוכ
האוטודַפֶה של הספרים הרגישה אומה שלמה כי את נשמתה מבקשים ליטול הצרים עליה!
ובאבלם אמרו:
כי הנה טובים חללי חרב מהיושבים שוממים בלי תורה.

## 30 Our Talmud Was Burned

t seems there never was such weeping by people mourning the loss of their dear ones, as by Jews amenting the death of their Book.
On Sunday of the New Year, 1553, Pope Julius III decreed that the Talmud should be outlawed and burned. When the agents of the Inquisition reached Rome, Venice and Cremona, they did not discriminate between the Talmud and other books. Every Hebrew book was removed from Jewish homes and thrown onto the fire in the Campo dei Fiori in Rome —

Go — wearing sackcloth.
Cry — for the light of the Torah and its crown.

Throughout our exile the decrees were harsh. We were used to humiliations, expulsion and death. But in the face of the *auto-da-fe* of books, a whole nation felt that those who besieged it wanted to take away its soul!
And as we mourned, we said:
Behold, it is better to be killed by the sword than to be desolate without the Torah.

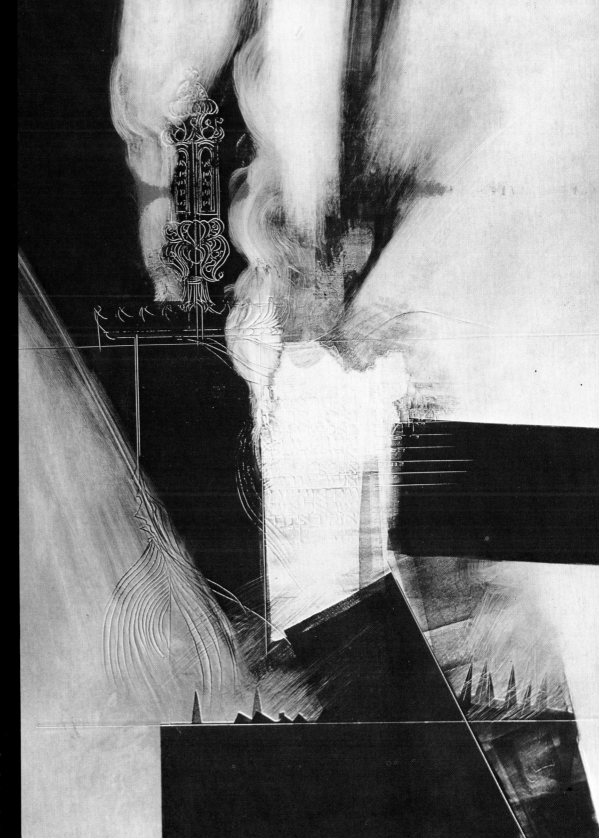

שריפת התלמוד
באיטליה,
1559-1553

Burning the
Talmud in Italy,
1553-1559

בלילות חושך ואפלה היו שיירות האומללים עוברות על פנינו תמיד. נתנו להם מיטה ושולחן וכסא
מנורה והיה בבואם סיפרו לנו פרשת הגירוש הגדול והנורא, על פליטת אחינו מספרד שנפלו מ
הפח אל הפחת וגורשו מפורטוגאל — — —
רבנו שמעון מת אז על קידוש השם. כי כל מי שלא יצא למועד השנה הראשונה נאנס לשמד. עשרים
אלף מילדי ישראל נכלאו בליסבון והוטבלו בכוח. אנו וילדינו בָּרַחנו בעור שִׁנֵינו ואכלנו עשב
השדה. ומפני הקור הקשה שבסתיו, כי אין לנו כסות בקרה, ומאין בתים להתאכסן בהם, עשינו
חפירות באשפות והכנסנו בהם את גופינו. ואין בכל אלה אלא קצה הסבל על תלאות הדרך, על
עולם שנטרף;

אָבִינוּ! הַגְּמוּל הַזֶּה קִוִּינוּ?

מִי הָאָב גִּדֵּל בָּנִים לַעֲשׂוֹת בָּהֶם נְקָמָה
יִשְׁפֹּךְ עֲלֵיהֶם חֲרוֹנִים בְּאַף גָּדוֹל וְחֵמָה?
לָאֲדָמָה שָׁם יָשַׁבְנוּ גַּם בָּכִינוּ

## 29 Their Staffs in Their Hands

In nights of darkness and obscurity, processions of miserable refugees kept passing before us. They were given a bed, a table, a chair, and a lamp, and they began to tell us the story of the great and terrible expulsion of the remainder of our Spanish brethren who fell from bad to worse and were driven from Portugal.

Our Rabbi Shimon died then in the Sanctification of the Name. Everyone who did not leave by the end of the first year was forced to convert. Twenty thousand of the people of Israel were imprisoned in Lisbon and baptized by force.

We and our children escaped by the skin of our teeth, and we ate grass. And because of the bitter cold that autumn, because we had no clothing for the freezing weather and no houses in which to dwell, we dug holes in the garbage and lowered our bodies into them. And this is only a tiny fragment of the suffering, the hardships along the way, of a world that had gone mad:

Our father, is this our reward?
Who is the Father who raised His sons to take His vengeance on them?
Whose is the blazing wrath and rage that now is poured upon them?

גירוש פורטוגאל
1496

The Expulsion
from Portugal,
1496

## כ"ח וַיְהִי לְאֵבֶל כִּנּוֹרִי וְעוּגָבִי לְקוֹל בּוֹכִים

משנכנס חודש אדר שנת רנ"ב לא היו עוד ימים לשמחה והדר. בחלונות בתינו עלו האימים הגדולים, כי נכתב ונחתם צו הגירוש. וכשיצאה הפקודה מלפני המלך והמלכה קמו כל פינות העם ויתייצבו בשער בית המלכות ויתנו קולם בבכי ותחינה, ואין קול ואין עונה ואין קשב. לא עזרו דברי גדולי ישראל התקיפים, דון יצחק אברבנאל ודון אברהם סניור, כי ראו עין בעין שהגזירה אמת והתבונה שקר.
בז' באב, סמוך למועד חורבן שני בתי המקדש, יצאו אחרוני היהודים מספרד. והיה מניינם כ־250 אלף נפש.
מהם פנו לאפריקה הצפונית כ־50 אלף.
לפורטוגאל כ־150 אלף,
מעטים הלכו לאיטליה ולאוויניון. רבים נדדו לממלכת התורכים.
יש אומרים שאלפים הפליגו לקצווי ארץ, ואין לדעת כמה מהם טבעו במצולות הים הגדול.
בתינו ורכושנו אשר בספרד נמסרו למנזרים. כל בתי עלמין שלנו הפכו לשדות מרעה לבהמות. ארץ אל תכסי דָמי.

## 28 Land! Do Not Hide My Blood!

At the beginning of the month of Adar, 1492, the days of joy and splendor were over. There was great fear in our houses because the decree of expulsion had been written and signed.
And when the order was issued by the King and Queen, our people came from all sides and assembled at the gates of the Palace. They cried out and pleaded, but there was no voice, no one to answer, no one to hear. The words of the great and powerful Jewish leaders, Don Isaac Abarbanel and Don Abraham Senor, were of no help. The decree was truth and reason was a lie.
On the seventh of Av, close to the date of the fall of the two Temples, the last Jews left Spain — 250,000 of them. About 50,000 of them went to North Africa, almost 150,000 went to Portugal, a few went to Italy and Avignon. Many wandered as far as the Ottoman Empire.
They say that thousands sailed to the ends of the earth, and there is no way of knowing how many of them drowned in the depths of the sea. Our homes and our property in Spain were given to the monasteries. All our cemeteries were turned into pastures for cattle.
Land, do not hide my blood!

גירוש ספרד, 1492

The Expulsion
from Spain,
1492

אני הגבר ראיתי את הצורר יוהנס קַפִּיסְטְרָאנו, בריה קטנה ועלובה למראה, שהעלה על המוקד
נפשות רבות לאין ספור. הוא היה שלוחם של האפיפיור והנזירים וההמון הנמשך אחריו, מעליל
עלילות הדם בשלזיה ובכל מדינות גרמניה.
ארבעים ואחד נשרפו בעיר ברֶסלאו,
שלושים ושישה בשוק של ברלין,
עדה שלמה עלתה על המוקד בליגניץ.
כל זה משום עלילת חילול "הלחם הקדוש". רק בני קהילת פירט אזרו כוח לעמוד בפניו וגרשו את
גייסותיו מהעיר.
על יהודי טרנטו העלילו, כי רצחו ילד נוצרי בשביל לאפות מדמו מצות לפסח. היהודים עונו למוות
בעינויים קשים ואת הקרבן המדומה העלו למעלת קדוש, בעת הזאת זרח אור הרנסאנס בארץ
איטליה.

אֶתְמַה מְאֹד עַל מְאוֹר הַיּוֹם אֲשֶׁר יִזְרַח אֶל־כֹּל,
אֲבָל יֶחְשַׁךְ אֵלַי וְאֵלֶיךָ!

## 27 I Would Be Amazed by Daylight

I am the man who saw the tyrant John Capistrano, a small, miserable looking creature, who set fire to innumerable souls. He was an emissary of the Pope and the monks, and the mob followed him inventing blood libels in Silesia and all the German states.

Forty-one were burned in the city of Breslau; thirty-six in the market-place of Berlin; a whole community was burned in Liegnitz. And all because of the libel of the desecration of the host. Only the community of Fuerth summoned enough courage to stand up to him, and they drove his forces out of the city.

There was a libel against the Jews of Trent who were accused of killing a Christian boy in order to bake Passover *matzot* from his blood. The Jews were cruelly tortured to death, and the supposed victim was made into a saint. At that time the light of the Renaissance shone in the land of Italy

שריפת יהודים
בערי גרמניה,
פרעות בפולין,
עלילת דם
בטרנטו שבאיטליה,
אמצע המאה ה־15

The burning of
Jews in German
cities, pogroms in
Poland, blood
libel in Trent,
15th Century

## כ"ו יום שֶׁנִּלְחֲמוּ בִּי יַחַד שְׁכֵנַי

בני עַמי בְּכוּ עִמי בין אפר ואוּדים עשנים. על שבעים קהילות קדושות בקשטיליה ושלושים ושש קהילות בארגון, על רבבות אחינו המומתים בשנת קנ"א בגולת ספרד בין זאבי יער.
קמנו בבוקר ולא היתה עוד קהילת סוויליה המעטירה ומקהילת מיורקה המפוארת לא נשאר זכר.
כי קמו גויי הארצות לאבד את יהודי ספרד. כמרים ואצילים, טובי העיר ותושביה, כפריים ואספסוף ומלחים זרים, ביום ההוא נלחמו בי יחד שכני; בנותינו נאנסו. את הנהרגים סחבו ברגליהם תלו על עצים ועזבום.
ראיתי את אחינו שעמדו על נפשם ונהרגו על קידוש השם, היהודים שנשתמדו, את הנמלטים בחוסר־כל לאפריקה.
אני הקטן ברחתי לבארצלונה, אך הרעה הגיעה עד שם.
חסרה תשובת אֵל לצעקתנו ואין עונה ואין חוֹמל — — —

בּוֹרֵא עוֹלָם אַיֵּה נִפְלְאוֹתֶיךָ
וְקִנְאָתְךָ וּגְבוּרָתֶךָ?
עַל מִי נָטַשְׁתָּ צֹאן מַרְעִיתֶךָ
בַּמִּדְבָּר הַגָּדוֹל הַזֶּה?

## 26 The Day All My Neighbors Attacked Me...

Children of my people, weep with me among the ashes and embers. For seventy holy communities in Castile and thirty-six in Aragon, for tens of thousands of our brother executed during the Spanish exile in the year 1391.
We got up one morning and the crowned community of Seville did not exist; there was no trace of the splendid community of Majorca.
Because the Jews of Spain were destroyed by the gentiles: priests and nobles, the fiest leaders of the town and its inhabitants, the villagers, the mob, the foreign sailors — on that day all my neighbors attacked me.
Our daughters were raped. The murdered were dragged by their legs. They were hanged on trees and abandoned.
I saw our brothers who fought for their lives and were killed in the Sanctification of the Name. I saw the Marranos, Jews who converted. I saw those who escaped to Africa with nothing.
I was a small child and I fled to Barcelona, but the evil reached there.
God did not answer our cry.
And there is no one to answer, no one to care.

Creator of the world, where are your wonders,
your zeal and your strength?
To whom have you abandoned your flock
in this vast desert?

פרעות
בכל רחבי
ספרד, 1391

Riots throughout
Spain, 1391

## כ"ה עֵמֶק הַבָּכָא

צוּר עֶלְיוֹן אֶקְרָא תִּהְיֶה לִי לְעֶזְרָה מַה רַבּוּ צָרַי
עוֹנֶה בַּצָּרָה בַּקָּמִים עָלַי רוֹדַי שׁוֹדְדַי
בְּךָ הִיא תוֹחַלְתִּי סָבִיב שָׁתוּ עָלַי רַבִּים קָמִים עָלַי
כֻּלָּם הָיוּ עָלַי

בני, אל תאמר, כי המונים נבערים עשו זאת. כי רק אחוזי טרוף היו אלה שהטילו למדורות את רבבות היהודים, זקן וטף, גברים ונשים, בשלוש מאות ערים באירופה.
וכי מוכי בלהות המגיפה ביקשו שעיר לעזאזל.
מפני המגיפה הנוראה פחדו גם מתו היהודים.
למגיפה קדמה שנאת ישראל שחורה. עמדו לה מטיפים נלהבים. פעמוני כנסיות קראו לדם לאחר תפילות. ההמונים נתגודדו בגדודים. בראשם התיצבו מנהיגים, והמושלים למיניהם עמדו מנגד והיו שסייעו בידם.

## 25 The Vale of Tears

I cry unto my God
who answers to my need,
to You alone I plead.

Be my help against the ones
who throw me to the ground.
They set themselves
against me all around.

How great my foes, how many those
who beat me down, who rob me!
How many rise against me!
How many fall upon me!

My son, do not say that ignorant mobs have done it. That it was only a people caught up in madness who heaped tens of thousands of Jews, old men and babies, men and women, on bonfires in three hundred cities in Europe. Or that people driven by terror were seeking a scapegoat. Jews also were terrified and died from the dreadful plague.
A black hatred of Israel preceded the plague. Ardent preachers encouraged it. Bells of churches called for blood after prayers. The mobs formed themselves into regiments. And over them were various leaders and rulers who looked the other way. Some of them even helped.

שנות המגיפה
השחורה,
1352–1348

Years of the
Black Plague,
1348–1352

היהודים נקהלו לעמוד על נפשם. כיוון שראו, כי חסדי לאומים נכזבו, קמו שלוש מאות בחורי
אספו כלי זין וכל קהל מגנצא עמהם, וילחמו בהמון אויביהם והפילו מהם כמאתיים איש.
חמישה ימים הדפו הנצורים את צבא הפורעים. וכשראו, כי הארץ נשמטת מתחת לרגליהם עמ
שרפו עליהם את בתיהם באש.
כשהגיעה הרעה אל קהילות אופנהיים, פרנקפורט, ארפורט וקולוניא עשו היהודים כמעשי אחיה
במגנצא.
בוורמייזא היו שנים עשר הפרנסים ראשי הלוחמים וראשי הנהרגים. והרי הם קבורים שנים עש
הפרנסים בקבר אחים עד עצם היום בבית החיים של וורמייזא.
על מאורע זה אומרים בסליחות:

מִשּׁוֹד עֲנִיִּים אֶנְקַת אֶבְיוֹנַי,
אִבְחַת חֶרֶב הֲרוּגִים נְתוּנִים בְּיַד עוֹיְנַי
..הַעַל אֵלֶּה תִּתְאַפַּק יְיָ

## 24 Mainz — A Noble Heritage

And the Jews came together to fight for their lives. When they saw that they could not depend on the grace of nations, three hundred young men rose up and collected weapons of war. The entire congregation of Mainz was with them. And they fought against their enemies and felled almost two hundred of them.

For five days the besieged held off the lawless army. And when they saw the land collapsing under their feet, they set fire to their houses.

The evil reached the communities of Oppenheim, Frankfurt, Erfurt and Cologne, and the Jews behaved like their brothers in Mainz. In Worms twelve leaders were the first to fight and the first to die. They are buried in a common grave which is still to be found in the cemetery of Worms.

And recalling this event, we say in the Penitential Prayers (*Selihot*):

When you behold
The robbing of the poor, the cries of the needy,
The murders at sword-point by the evil and greedy —

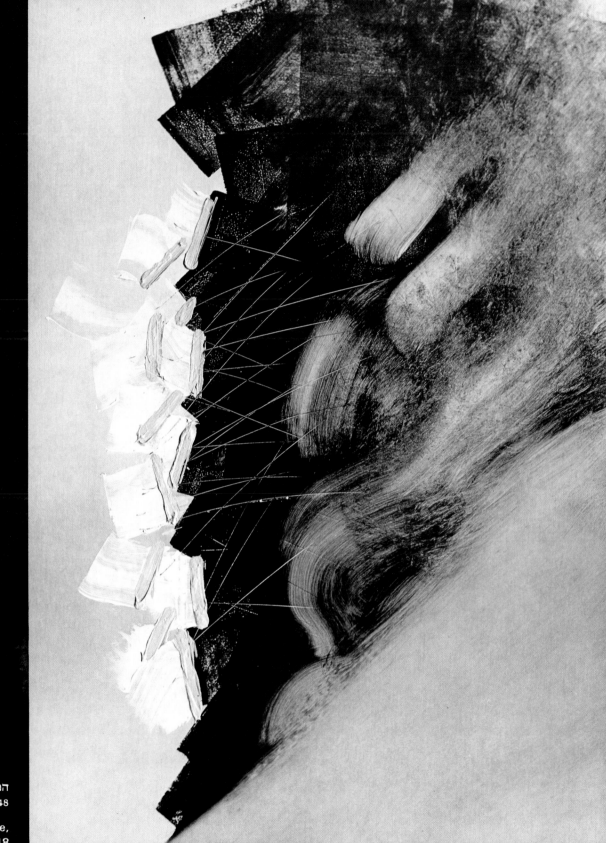

המגיפה השחורה,
1348

The Black Plague,
1348

## כ״ג וְאָכְלָה אֶתְכֶם אֶרֶץ אוֹיְבֵיכֶם

והמלך פיליפ היפה גרש את כל היהודים ממלכותו. ולקח כל אשר להם, כספם וזהבם, טַלְטֵל וקרקע
היו הקהילות ההן גדולות בחכמה ובמנין, הגדילו תורה והאדירו, ונתגרשו כולם בעירום ועריד
ובחוסר כל.

מִבֵּית הַסֵּפֶר הוֹצִיאוּנִי, כְּתָנְתִּי הִפְשִׁיטוּנִי,
כְּלֵי גוֹלָה הִלְבִּישׁוּנִי, בְּעוֹצֶם לִמּוּדַי גֵּרְשׁוּנִי,
מִבֵּית אָבִי וּמֵאֶרֶץ מוֹלַדְתִּי עָרוֹם יָצָאתִי,
נַעַר הָיִיתִי, שׁוֹלָל הָלַכְתִּי
מִגּוֹי אֶל גּוֹי וּמִמַּמְלָכָה אֶל עַם לֹא יָדַעְתִּי לְשׁוֹנוֹ
נוֹדַחְתִּי.

אִם אָב אַתָּה, אַיֵּה אַהֲבָתְךָ? אִם אֲדוֹנִים אַתָּה אַיֵּה אֵימָתְךָ?
אֵיכָה תוּכַל רְאוֹת אָבְדַן אַנְשֵׁי אֱמוּנָה?
אֵלִי! אָנָה אֲנִי בָּא, אָנָה אֵחָבֵא?

## 23 And the Land of Your Enemies Will Destroy You

And King Philip the Fair banished all the Jews from his kingdom. And he took whatever they had, heir money and gold, chattels and land. Those communities were great in wisdom and in number; hey had exalted the Torah. Now they were banished, naked and stripped of all their possessions.

They took me from school, tore off my shirt,
dressed me in garments of exile.
n the midst of my studies they turned me out
of my father's house and my homeland.
A young boy, and cheated,
rom gentile to gentile,
rom kingdom to nation I passed.
not knowing the language, outcast.

f You are a Father, where is Your love?
f You are a Master, where is Your pride?
How can You witness the loss of Your faithful?

## כ"ב שִׁיר הַמַּעֲלוֹת

תִּשְׁעִים נְפָשׁוֹת הֵילִילוּ וְגָנְחוּ / "נְקִיִּים אֲנַחְנוּ" בְּקוֹל מַר צָרְחוּ
"לָמָּה תִשְׁפְּכוּ דָּם נָקִי / נַפְשׁוֹתֵינוּ עִזְבוּ וְאֶת הָרְכוּשׁ תִּקָּחוּ".

עָנָה בְּלִיַּעַל: "לֹא יֵעָשֶׂה כֵּן בִּמְקוֹמֵנוּ / אַךְ בְּזֹאת נֵאוֹת לָכֶם אִם תִּהְיוּ כָּמוֹנוּ,
זֹאת עֲשׂוּ: תִּחְיוּ בֶּאֱמוּנָתֵנוּ / וָלֹא, אָכֵן תְּמוּתוּן בְּדִינֵנוּ".

אָמְרוּ מְעוּנִים בְּנֵי עַם סְגוּלִים / וְעָנוּ: "אִם חָפֵץ בָּנוּ יְיָ
וֶהֱבִיאָנוּ כִּסֵּא כָּבוֹד מָרוֹם / בְּצֵל יָדוֹ יַחְבִיאֵנוּ".

רָאָה רָשָׁע וַחֲמָתוֹ בּוֹ בָּעֲרָה / וַיַּצֵּת אֵשׁ סְבִיב הַבִּירָה
הִרְבָּה עֵצִים וְהִגְדִּיל הַמְּדוּרָה / וַיִּקְרָא שֵׁם הַמָּקוֹם הַהוּא תַּבְעֵרָה.

שָׂמְחוּ כְּמָרִים לָאֵיד וַיָּגִילוּ / בִּרְאוֹתָם כִּי כָּלוּ בְּעָשָׁן כֻּלּוּ
יְהוּדִים אִישׁ וְאִשָּׁה הוּקְטָרוּ / וְכָל עַצְמוֹתֵיהֶם לְפֶתַע חֻלְחָלוּ,

תִּשְׁעִים נְפָשׁוֹת עַל הַמִּזְבֵּחַ / קוֹלוֹתֵיהֶם הֵחֵלּוּ לַעֲלוֹת
בְּבִרְכַּת שְׁמַע־יִשְׂרָאֵל מִן הָאֵשׁ / בְּנֹעַם שִׁיר לַמַּעֲלוֹת

## 22 A Song of Degrees

Ninety souls wailed and sighed
in bitterness, "We're pure," they cried.
"Why do you shed our blood? Take all
the things we own, but not our souls."

One wretch said, "Your only chance
to go on living is to be
like us, accept our faith. If not,
then we decree that you must die."

The tortured chosen people gave
their answer: "Let a chair of honor
carry us to heaven. God will hide
us in the shadow of his hand."

A scoundrel watched and anger leaped
in him until he set a fire
around the capital, and heaped
the wood to make the flames go higher.

Bones shuddered while the priests rejoiced
to see the smoke that curled around
the Jews as men and women turned
into a burning sacrifice.

Ninety souls were on the altar,
voices rising in the fire
with a blessing, "Hear O Israel!"
high above the flames, and higher.

חורבן
140 קהילות
בימי הצורר
רינדפלייש, 1298

Destruction of
140 Commu-
nities in the time
of the tyrant
Rindfleisch,
1298

יון — הרוגי פרנקפורט, בשנה הראשונה לאלף הששי, 1241. אב — הרוגי קיצינגן ע/נ מיין
1243. תשרי — הרוגי אורטנברג במדינת באוואריה. תמוז — הרוגי פורצהיים, שכנד
לשפיירא. ניסן — הרוגי קובלנץ, 1256. אייר — שבעים שרופי זינציך, במחוז קובלנץ
אב — הרוגי ארנשטאט במדינת טירינגיה. ניסן — שרופי מלריכשטאט במדינת פרנקוניד
בפסח — הרוגי מגנצא בשביעי של פסח. ובו ביום בכרכא, 1283. ניסן — הרוגי רוקנהאוזן
מרחשוון — שרופי מינכן, 1285. תמוז — הרוגי ויסנבורג שבאלזס. הרוגי קוברן וטררבאך, הרוג
לאכניך וקירא. הרוגי קמפן ליד דיסלדורף והרוגי בונא. אב — הרוגי מינסטר. אלול — הרוג
יגבורג. תשרי — הרוגי לוגושטיין. אדר — הרוגי ברנקשטל על נהר מוזל, הרוגי אלטנה
בגליל קלן.
בזכות הקדושים האלו נזכה לישועות ונחמות ויקבץ נדחינו בידים רמות.

## 21 The Calendar

s there any pain like our pain?
s there any calendar like ours?
Sivan — The murdered of Frankfurt, in the first year of the sixth millenium, 1241. Av — The murdered of Kitzingen, 1243. Tishri — The murdered of Ortenburg, in the state of Bavaria. Tammuz — The murdered of Pforzheim, neighboring Speyer. Nissan — The murdered of Koblenz, 1256. Iyar — Seventy burned men of Sinzig, in the region of Koblenz. Av — The murdered of Arnstadt, in the state of Thueringen. Nissan — The burned men of Mellrichstadt, in the state of Franconia. Passover — The murdered of Mainz on the seventh day of Passover and in Cracow on the same day, 1283. Nissan — The murdered of Rockenhausen. Heshvan — The burned of Munich, 1285. Tammuz — The murdered of Weissenburg, in Alsace. The murdered of Trerbach, the murdered of Lechnich and Kirn. The murdered of Kemeno, next to Duesseldorf. The murdered of Bonn. Av — The murdered of Muenster. Elul — The murdered of Siegburg. Tishri — The murdered of Logostein. Adar — The murdered of Bernkastel by the Moselle River. The murdered of Altenhar in the district of Cologne.
For the sake of these holy people we shall be granted salvation and comfort, and He will gather ou

פרעות במאה
ה-13, לפני
המגיפה השחורה

13th Century
Pogroms
preceding the
Black Plague

## כ בְּרִית הַיּוֹנִים

למה ישראל נמשלו ליונה?
לאמר: מה יונה אינה מפרכסת בשחיטה,
כך ישראל אינם מפרכסים בשחיטה על קידוש השם.

וזה סדר קידוש השם אשר גמרו היהודים לעשותו לכל איש יהודי.
כאשר ירצו לענותו וישאלוהו וידרשוהו, זאת תהא תשובתו:
מה אתם מבקשים ממני? הלא יהודי אני. יהודי אהיה ויהודי אמות,
יהודי
יהודי
יהודי
הנני מוכן ומזומן למסור את עצמי ובשרי וגידַי ודמַי לכל העינויים הקשים והמרים בעבור יחודך
ובעבור עמך ישראל.

## 20 The Covenant of the Doves

Why has Israel been compared to a dove?
As the dove does not struggle when it is slaughtered,
so Israel does not struggle when it is slaughtered
in the Sanctification of the Name.

Here is the order for the Sanctification of the Name which Jews decided should be practised by every Jewish man:
When they want to torture you and question you and make demands of you, this will be your answer:

What do you ask of me? I am a Jew. I will be a Jew. And I will die a Jew.
A Jew.
A Jew.
A Jew.
Here I am ready and willing to offer myself and my flesh and my veins
and my blood to all the cruel and bitter tortures for the sake of
Your Oneness.
And for the sake of Your people Israel.

קידוש השם של
קהילות שלמות
בתקופת
מסעי הצלב

Sanctification of
the Name by
Whole
Communities
during the Period
of the Crusades

..וראויים הדברים שיימסרו לדורות. איך היתה ארץ טובה וגדולה לגיא הריגה:
בששה בפברואר נטבחו היהודים בנורוויץ׳
בששה במארס בסטמפורד
בשמונה עשר בו בסט. אדמונד, לינקולן ולין,
ביום הכתרת המלך העלו לעולה את יהודי לונדון.

כי המונים באנגליה מיהרו להצטרף אל המתעוררים למסע הצלב, ועד שיגיעו לירושלים עשו
גבורות ביהודים. אצילי אנגליה רבים מהם נכמר לבם על הטבח הנורא, והם לא עשו דבר למנוע
שפיכות הדמים. ויוסי, הפרנס של קהילת יורק, הצליח למלט את עדתו אל חומת המצודה, שם
עמדו הנצורים בפני אויביהם שלשה ימים ולילות.
כשראו כי אין להם עוזר, החליטו חמש מאות הנרדפים לקדש את השם.

בִּמְצוּדַת יוֹרְק אַתָּה הָיִיתָ עִמָּנוּ.
בִּפְתִילֵי פִּשְׁתָּן כָּרַכְנוּ אֶת הַשַּׁבָּת
וְאֶת גּוּפוֹתֵינוּ גַּם יַחַד
וּבִמְנוֹרַת שִׁבְעַת הַקָּנִים הִזְרַחְנוּ
אֶת יִחוּד שִׁמְךָ וְכִלּוֹתֵנוּ.

## 19 My Ancestors Were in York

...And these things must be handed down to each generation. How a great and good country became a field of slaughter:
On February 6th, the Jews were massacred in Norwich.
On March 6th, in Stamford.
On the 18th, in Bury St. Edmunds, Lincoln, and Lynn.
And on the day of the King's coronation,
the Jews of London were sacrificed.

Crowds in England hurried to join those aroused by the Crusade and, before they reached Jerusalem, demonstrated their valour on the Jews. Many English noblemen felt some compassion at the terrible massacre, but did nothing to prevent the bloodshed.
Josce, a leader of York, managed to bring his people inside the walls of the castle, where they were besieged by their enemies for three days and three nights. When they saw there was no one to save them, five hundred of the persecuted decided to die for the Sanctification of God's name.

In the Castle of York You are with us now and forever.
We bound the Sabbath and our bodies together
with threads of linen.
And with a seven-branched menorah we shed light

מסע הצלב
השלישי, פרעות
ביהודי אנגליה,
1190

The Third
Crusade,
Pogroms of the
Jews in England,
1190

18 הוֹי, דְּמֵי אָחִיךָ הַצּוֹעֲקִים מִן הַמַּגְרֶב

בשעה שכבשו המווחדים את סג'למאסה שבמרוקו אספו את יהודי־העיר ותבעו מהם להתאסלם ונשאו ונתנו עמהם שבעה חדשים, וכל אותה עת ישבו היהודים בתענית ותפילה. לאחר מכן חזרו ובאו המפקדים והיהודים סירבו להם. אז נהרגו באכזריות על ייחוד השם מאה וחמישים מיקירי קהל סג'למאסה.

והידיעה על שאירע בשאר קהילות ארץ בְּרַבֶּריה כל שומעיה תצילינה אזניו.

וכי באו שנות חירום, גזירות ושמדות, על קהילות ישראל בארצות אפריקה.

ונתקיימו דברי הנביא:

אשר למוות — למוות, ואשר לחרב — לחרב, ואשר לרעב — לרעב, ואשר לשבי — לשבי:

הוֹי אֶקְרָא
עַל קְהִילַּת סְגִ'לְמַאסָה,
עִיר גְּאוֹנִים וּנְבוֹנִים,
עַל מַרְאַכָּשׁ הַמְיֻחָסָה,
יַקִּירֶיהָ מְדֻקָּרִים,
עַל כָּל קְהַל־פֵּאס
נִתְּנוּ לִמְשִׁיסָּה,

הוֹי אֶקְרָא
עֲלֵי סַבְּתָה וּמַכְנָאס
מְאוֹרָם חֹשֶׁךְ כִּסָּה,
עַל דַּרְעָה וּתְלֶמְסֶן
הֻכּוּ לְפִי חֶרֶב,
עַל תּוּנֶס וְעַל סוּסָא,
עַם קְדוֹשִׁים לַטֶּרֶף,

הוֹי
בְּנֵי קַאבֶּס וּטְרַאבְּלֶס,
שָׁפְכוּ דָּמָם כַּמַּיִם,
צַעֲקָתָם וְנַאֲקָתָם
לֹא נִשְׁמְעָה בִּזְבוּלָהּ:
עֵינִי עֵינִי יֹרְדָה מַּיִם

## 18 Oh Your Brother's Blood Cries From the Maghreb.

When the Almohades conquered Sijilmassa in Morocco, they gathered the Jews of the city and demanded that they convert to Islam. They negotiated with them for seven months, and during all that time the Jews fasted and prayed. Afterwards the commanders returned, and the Jews refused to obey them. Then one hundred and fifty of the finest in the community of Sijilmassa, affirming the Oneness of God, were cruelly killed.

As to the news of what happened in the remaining communities of the Barbary States — whoever hears it, his ears will tingle.

There followed years of emergency, decrees and conversions in Jewish communities throughout Africa, and thus the words of the prophet were realized:

Such as are for death, to death; and such as are for the sword, to the sword; and such as are for the famine, to the famine; and such as are for the captivity, to the captivity.

Oh I will lament:
The community of Sijilmassa,
  city of sages and scholars,
Marrakesh the exalted,
  her finest murdered,
the whole congregation of Fez
  banished from sight,

Oh I will lament:
Sebta and Meknes,
  darkness covered their light,
Tlemcen and Dra,
  struck by the sword,
Tunis and Sousse
  the holy praying to the Lord,

Oh:
Sons of Gabes and Tripoli,
  pouring blood in streams,
The heavens did not hear
  their cries, their screams.

גזירות שמד
בארצות האסלם,
1146

Decrees of
Conversion
in Islamic
Lands, 1146

## י״ז מִינָה, גִּיטֶלֶ׳ה, צִפּוֹרָה

בכל הכנסיות אהבה מולכת — מנין השנאה?

את מרת גיטל׳ה מאשפנבורג תפסו התועים ראשונה. ומשלא אבתה להיטבל במים המאָררים
הביאוה אל הנהר והטביעוה שם. ואת מרת מינה משפיירא, שיצאה את העיר, תפסו ודרשו ממנה
שתכפור באלהים חיים. ומיאנה להם, והם קיצצו בסכינים את אזניה ואת בהונות רגליה.
והיתה שם האשה צפורה, שילדה לעת זקנתה בן ושמו יצחק. וכשהקיפו האויבים את הבית, ראתה
את המאכלת בידי בעלה וקראה: ״אדוני, אדוני! אל תשלח ידך אל הנער, שחט אותי תחילה, ולא
אראה במות הילד!״
אז היכוה הפורעים בקרדומות, וצפורה מתה בזעקתה.
העל אלה תתאפק יי׳?

## 17 Mina, Gitele, Zipporah

In every church love reigns — where does hatred come from?
The rabble caught Gitele from Aschaffenburg first. And when she refused to be baptized in the cursed waters, they took her to the river and drowned her. Then they caught Mina from Speyer, as she was leaving town, and demanded that she deny the living God. When she refused, they chopped off her ears and her toes.
And there was a woman named Zipporah who, late in life, gave birth to a son named Isaac. When enemies surrounded her house, and she saw a knife in her husband's hand, she cried out:
My lord, do not raise your hand against the boy, slaughter me first, let me not look upon the death of the child!
Then the lawless mob struck them with axes, and Zipporah died screaming.
Can You restrain Yourself in the face of such things, oh God?

רדיפות באשכנז,
1180

Persecutions in
Germany, 1180

## ט״ז עֵדִים אֲנַחְנוּ

הפייטן אליעזר בן נתן נולד במגנצא, הוא ראה את שבר עמו:

הֲלֹא אַתָּה אֱלֹהִים זְנַחְתָּנוּ לְשָׁכְחָה
יוֹתֵר מֵאֶלֶף שָׁנִים בְּיָגוֹן וַאֲנָחָה,
וַתִּזְנַח מִשָּׁלוֹם נַפְשֵׁנוּ בְּפֶרֶץ וּצְוָחָה,
כִּי עָלֶיךָ הֹרַגְנוּ כָּל הַיּוֹם, נֶחְשַׁבְנוּ כְּצֹאן טִבְחָה.

הפייטן רבי אפרים ב״ר יעקב נולד בבונא. בן י״ג היה כשנמלט עם כל קהילת קולוניא למבצר וולקנבורג, שם עמדו היהודים על נפשם במסע הצלב השני. בן ל״ח תיאר את הטבח הנורא ביהודי בלוייש. וכבן שבעים היה האיש כשקונן על קדושי ווירצבורג ושפיירא בספר זכירה:

אֶכְתֹּב סֵפֶר זְכִירָה — פְּקֻדַּת מִקְרֶה הַגְּזֵרָה
רָעָה וְצָרָה שֶׁהֻקְרָה — — —
יַעַן קִיְּמָנוּ לְזָכְרָה — בְּרַחֲמָיו יְנַקְמֵנוּ בִמְהֵרָה
מִשּׁוֹפְכֵי דָמֵינוּ לְעָכְרָה — וְיִבְנֶה בֵּית הַבְּחִירָה
בְּצִיּוֹן הָעִירָה:

## 16 We Are Witnesses

Eliezer ben Nathan, the liturgical poet, was born in Mainz. He saw his people shattered:

So You, God, have deserted us and left us
more than a thousand years in sorrow.
You have deprived our souls of peace,
we die for You all day like slaughtered sheep.

Rabbi Ephraim ben Jacob, the liturgical poet, was born in Bonn. He was thirteen when he escaped with the entire community of Cologne to the fortress of Wolkenburg, where the Jews fought for their lives during the second Crusade.
At the age of thirty-eight he described the terrible massacre of the Jews of Blois; and when he was almost seventy he commemorated the people of Wuerzburg and Speyer in a Book of Memory:

I will write a Book of Memory* To record the pain
and evil persecutions that we suffer***
God has saved us for His sake* In His mercy He will take
revenge on those who shed our blood* He will make
the Temple new again in Zion.

מסע הצלב השני,
1146;
פרשת בלוויש,
1171

Second Crusade,
1146; Blois
Affair, 1171

יהי בחצי היום ויבוא אמיכו הרשע, צורר היהודים, הוא וכל חילו על שער העיר מגנצא. וכאשר ראו
היהודים המון רב חיל גדול לפניהם דבקו בבוראם וחגרו כלי מלחמה, מגדול ועד קטן, ור׳ קלונימוס
הפרנס בראשם, להלחם עם נושאי הצלב ועם העירונים גם יחד. ונצחו האויבים ולכדו את השער, עד
חצות הלילה היתה המלחמה. ובחצות שלח הגמון העיר שליח לר׳ קלונימוס להצילו וכל העדה
אשר עמו. והם לא האמינו, עד שנשבע להם. והשליח העבירם בספינות את נהר הריינוס והביאם אל
טירת ההגמון.
אך למחרת היום אמר ההגמון: אינני יכול להציל אתכם, כי אלהיכם סר מעליכם. האמינו ביראתנו
או תשאו עוון אבותיכם!
במר נפשו הניף ר׳ קלונימוס סכין וזרקה בהגמון. ביום ההוא מתה כל העדה על קידוש השם
בשעתם האחרונה צעקו בקול גדול:
הבט משמים וראה
מה אנו עושים שלא להמיר את שמך
את שמנו!

## 15 Can There Be Pain Like Mine?

At midday, Emicho, the oppressor of the Jews, came to the gate of the city of Mainz with all his army. And when the Jews saw the huge mob, a great army in front of them, they clung to their Creator and prepared for battle, all of them, adults and children. With Rabbi Kalonymos, the Parnas at their head, they went out to fight the bearers of the cross and the burghers.
And the enemies triumphed, capturing the city gate, though the battle continued until midnight.
At midnight the archbishop of the town sent a messenger to Rabbi Kalonymos, offering to save him and his entire community. When they did not believe him, he gave them his oath.
The messenger led them across the Rhine River in boats and then took them to the archbishop's castle.
But the next day the archbishop told them: I can't save you because your God has forsaken you Accept our faith or suffer for the sins of your forefathers!
Filled with bitterness, Rabbi Kalonymos brandished a knife and threw it at the archbishop. That day the whole community died in the Sanctification of the Name. And in their last moments, they cried

פרשת מגנצא,
1096

The Mainz Affair,
1096

ד וְעַל חַלְלֵי חֶרֶב מוּטָלִים עֵר וּמִים וְעֵר וּמֵתוֹת

ויהי בשנת אלף ועשרים ושש לגלותנו קמו עזי פנים עם לועז, הגוי המר והנמהר, צרפתים
אשכנזים, ויתנו לבם ללכת לעיר הקודש, לגאול שם קבר משיחם מידי ישמעאל. ויהי בעברם דרך
מושבי היהודים אמרו זה לזה:
הנה אנחנו הולכים בדרך רחוקה והיהודים יושבים בינינו, ננקמה מהם תחילה ונכחידם מגוי, ולא
יזכר שם ישראל עוד.
כל הלילות רתחו ימי להבות בכל מקום אשר עברו שם נושאי הצלב הראשון:
מרואן שבארץ נורמנדיה ועד ירושלים, כי הרוג הרגו ביהודים.
בקהילות הריינוס היו אלף מאה עקדות ביום אחד. והשנה היא שנת תתנ״ו — קיווינו בה לישועה
נחמה והיתה ליגון ואנחה.

בַּת עַמִּי הִתְעַטְּפִי בִּיגוֹנֵךְ
אַל תִּתְּנִי הֲפוּגָה לָךְ אַל תִּדֹּם בַּת עֵינֵךְ
הַבֵּן נִשְׁחָט וְהָאָב קוֹרֵא אֶת שְׁמַע
מִי רָאָה כָּזֹאת וְלֹא יִדְמַע

## 14 Slaughtered and Dragged Naked

In the one thousand and twenty-sixth year of our exile, strangers arose, Frenchmen and Germans, severe, restless, and bitter people, dedicated to liberate the tomb of their Messiah in the Holy City from the Moslems. And as they passed through the Jewish villages, they said to one another: Behold, we have gone a long way and the Jews dwell among us. Let us first take revenge upon them, let us cut them off from being a nation, that the name of Israel may no longer be remembered.

All night seas of flame raged in every place where the First Crusade passed.

From Rouen in Normandy all the way to Jerusalem, they murdered the Jews. And in the communities of the Rhine eleven hundred were sacrificed in one day.

The year was 1096 — we hoped it would bring consolation and relief; instead there was agony and

מסע הצלב
הראשון, 1096

The First
Crusade, 1096

המשגב האחרון בעת מלחמות מוחמד בשבטי ישראל היה בקוריט'ה, מושבת יהודים מגדלי תמרים
גבורי חיל, הסמוכה למְדינה.
לא הספיקו אנשי קוריט'ה לחזק את בצוריהם בטרם יסתערו עליהם חילות המוסלמים. ארבעה
עשר יום השיבו היהודים מלחמה שְׂעָרה, וכשניגפו ציווה מוחמד לטבוח את המגינים.
ראשיהם של שש מאות מנכבדי העדה הותזו בכיכר השוק של מדינה ביום אחד, ומוחמד ניצב בכיכר
צופה.
אחריהם מתו מות קדושים שאר בני העדה, ורק איש אחד הציל את חייו על ידי שנתאסלם
משוררת אלמונית, מבנות קוריט'ה, קוננה את הקינה הזאת:

אַצִילֵי קְרַיְטָ'ה הִשְׁמִידוּם
חַרְבוֹת הַחַזְ'רַג' וְרָמְחֵיהֶם.
אָסוֹן כָּבֵד קָרָנוּ:
מָרִים יִהְיוּ בְּפִי הָאֲנָשִׁים הַמַּיִם הַזַּכִּים —
נַפְשִׁי הָיִיתִי נוֹתֶנֶת כֹּפֶר אֻמָּה, שֶׁאֵין תְּמוּרָה לָהּ.

## 13 A Fire Consumed Your Home

And the last fortress during the wars of Mohammed against the tribes of Israel was Kuraitah, near Medina, a settlement where the Jews grew palm trees. The courageous people of Kuraitah did not have time to strengthen their fortifications before the forces of the Moslems stormed them. For fourteen days the Jews resisted, and when they were defeated, Mohammed gave the order to massacre the defenders. Mohammed stood in the square and watched as the heads of six hundred of the elders of the community were cut off in the marketplace of Medina in one day. And after them, the rest of the men of the community died for their faith; only one man saved his life by converting to Islam

חורבן קהילות
היהודים
בדרום ערב, 624

The Destruction
of Jewish
Communities in
Southern Arabia,
624

י"ב בְּאֵין רַחֲמִים

בשעה שהודיעו לו לקיסר זינון, ששרפו את בית־הכנסת הגדול של היהודים באנטיוכיה והנזירים
וההמון העלו באש את עצמות הקבורים בחצר בית התפילה, קרא הקיסר:
ולמה לא שרפתם את היהודים החיים יחד עם המתים?
והירונימוס, מאבות הכנסיה הנוצרית, שלמד תורה ועברית מחכמי לוד, זרע את זרע האיבה:
היהודים — אמר — עם אומלל, אינו ראוי כי ירחמו עליו.

## 12 Without Mercy

When they announced to Emperor Zeno that they had burned the main synagogue of the Jews in
Antioch, and the monks and the mob had set fire to the bones of those who were buried next to the
house of prayer, Caesar called out:
Why did you not burn the live Jews together with the dead?
And Jerome, one of the founders of the Christian Church, who had studied the Torah and Hebrew
with the sages of Lydda, sowed seeds of hatred: Jews, he said, are wretched people, not deserving
of mercy.

פרעות הביזנטים
בסוריה, 486–507

Persecutions of
the Byzantines in
Syria, 486–507

# י א וְאֵלֶּה אֶזְכְּרָה עוֹד

אחרי שהוציאו להורג את ר׳ יודא בן דמא ואת ר׳ חנינא בן חכינאי, הוציאו את ר׳ ישבב הסופר והו
כבן תשעים שנה.
בכו תלמידיו ואמרו: רבנו, תורה מה תהא עליה?
אמר להם: בָּנַי, עתידה תורה להישכח מישראל. הלואי שהייתי כפרה על הדור.
אמרו לו: רבנו, ומה יהא עלינו?
אמר להם: החזיקו איש ברעהו ואהבו שלום ומשפט — אולי יש תקוה.
והקשה במיתות גזרו על ר׳ חנינָא בן תְּרַדְיוֹן. כרכוהו בספר תורה והקיפוהו בזרדים לַחים, שלא תצ
נשמתו במהרה.
קשיות ערפם של היהודים הביאה את רודפיהם לידי תמהון.
אמר הקיסר: גדולה היא הכבשה שעומדת בין שבעים זאבים!

## 11 And the Ones I Go On Remembering

After they had executed Rabbi Judah ben Dama and Rabbi Hananiah ben Hakhinai, they took Rabbi Yeshevav, the scribe, who was almost ninety years old.
His students wept and said: Rabbi, what will happen to the Torah?
He answered them: My sons, the Torah will be forgotten. If only I could lay down my life for this generation.
They said to him: Rabbi, what will happen to us?
He said to them: Cling to each other and love peace and justice — perhaps there is hope.
And the worst of all deaths was decreed for Rabbi Hananiah ben Teradyon. They wrapped him in a scroll of the Torah and surrounded him with wet twigs, so his soul could not escape swiftly.
The stiff-neckedness of the Jews amazed their persecutors. Caesar said: Great is the lamb

עשרה הרוגי
מלכות (ב),
138−135

The Ten Martyrs (2),
135−138

כשברא הקב״ה את האילנות היו מגביהים עצמם מעלה מעלה. כיוון שברא את הברזל היו משפילי
את עצמם ואמרו:
אוי לנו, שכבר נברא אותו דבר שיכרות אותנו! וכך אירע לחכמינו ז״ל שראו עולם בנוי וחרב. ע
שהם מגביהים עצמם להדריך את העולם בתורה ומצוות קמו שליחי הקיסר והמיתו אותם בעינויי
קשים.
כשהוציאו את רבי עקיבא והיו סורקים את בשרו במסרקות ברזל, זמן קריאת־שמע היה. הגביה פני
כלפי מעלה ואמר מתוך היסורים: צדיק הוא ה׳ הצור תמים פעלו.
נרעדו תלמידיו: רבנו! עד כדי כך?
אמר להם: כל ימי נצטערתי על פסוק זה ״ובכל נפשך״ — ואפילו הוא נוטל את נשמתך — ואמרתי
מתי יבוא לידי ואקַימנו! עכשיו שבא לידי — לא אקיים?
האריך רבי עקיבא באחד, עד שיצאה נשמתו.

## 0 The Ten Martyrs

Vhen they took Rabbi Akiva and flayed his flesh with iron combs, it was time to recite the *Shema*.
Ie raised his head and spoke out of his suffering:
ust is the Lord Whose work is perfect.
Iis students trembled: Rabbi! How can you!
Ie said to them: All my life I felt uneasy about that phrase, ''with all thy soul'' — even if He takes
way thy soul — and I said
'When will I have the chance to use it?''
Iow that I do, should I not?
Rabbi Akiva drew out the last word of the *Shema* until his soul departed

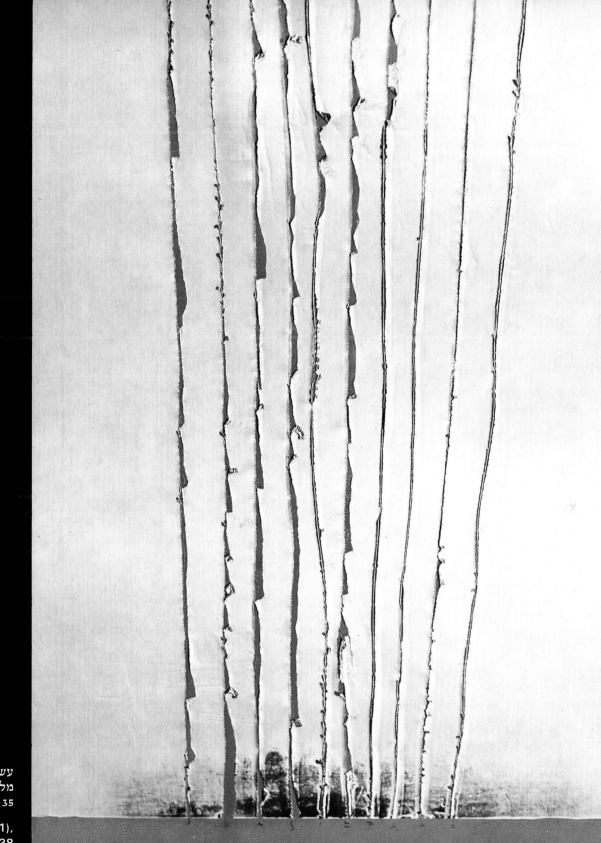

עשרה הרוגי
מלכות (א),
138−135

The Ten Martyrs (1),
135−138

בשוק של חברון, ליד אשל אברהם, מכרו המוני שבויים יהודים לעבדות. כה עצום היה מספרם עד
שהיו מחליפים יהודי בסוס.
ארץ יהודה הושַמה.
הר הבית נחרש במחרשה, ולעם המנוצח פעמיים במלחמה נאסרה הכניסה לעיר, שעליה חרף נפש
למות. והקיסר אדריאנוס גזר על קיום המצוות, כי ביקש לעקור כל מנהג שמבדיל בין ישראל
לעמים.
באותה עת נתכנסו בחשאי חכמים בעליית בית נִתְזָה שבלוד ודנו כל הלילה, אם מותר לו ליהודי
לעבור עבירה באונס כדי שלא יהרג.
נחלקו הדעות, היו שאמרו: ״וחי בהם — ולא שימות בהם״.
נמנו וגמרו:
יעבור ואַל יהרג, חוץ מעבודה זרה וגילוי עריות ושפיכות דמים.

## 9 Transgress and Suffer Not Death

In the marketplace of Hebron, near the tamarisk of Abraham, they sold masses of Jewish captives into slavery. There were so many that they exchanged a Jew for a horse.
The land of Judaea became a waste. The Temple Mount was plowed under, and the nation, twice defeated in war, was denied entrance to the city for which it had staked it life.
And the Emperor Hadrian forbade the observance of the commandments because he wanted to root out every custom that distinguished Israel from the other nations.
At that time the sages gathered secretly in the attic of the house of Nithza in Lydda, and discussed all night whether a Jew might be allowed to break the laws under duress so as not to be killed.
Opinions differed. There were those who said: "He should live by the commandments — not die for them." Finally they decided: He may transgress and not suffer death. Except in the case of idolatry

שעת השמד, 135

The Moment of
Conversion, 135

## ח כָּל בְּנֵי עַמְּךָ הַגֵּאִים

כל לילה רתחו ימי להבות על פני אלף ערים ועיירות ביהודה, בגליל והשומרון. כי קם מצבי
ליהודים, הוא שמעון בר כוכבא, אשר הרים את נס המרד וטבע מטבעות לחרות ירושלים.
ארבעה עשר לגיונות החישה מלכות רומי, מקרוב ומרחוק, נגד יהודה הקטנה. ויאבק עמהם ב
כוכבא ויכבוש מהם בשנה הראשונה כחמישים מבצרים.
ואת הלגיון הדיאוטריייני ה־XXII השמיד כליל.
שלוש שנים ומחצית השנה התעצמה המלחמה, עד שכלו כוחות העם ונפלה ביתר ונהרגו בר כוכב
וכל חילו אתו.
מקצה אלף ושמונה מאות שנה אמר המשורר העברי:

וַיִּהְיוּ בְךָ מַעְיְנוֹת הַחַיִל וְהָעֹז,
כָּל זִרְמֵי בְנֵי עַמְּךָ הַגֵּאִים,
אֲשֶׁר אֲבוֹתֵיהֶם עוֹד שָׂרוּ עִם אֵל
וּבְחֶזְקַת־יָד לָקְחוּ בִרְכָתוֹ.

## 8 All The Proud Sons of Your People

Every night seas of flame raged over a thousand cities and villages in Judaea, the Galilee and Samaria. A leader of the Jews had arisen, Simeon Bar Kokhba, who held up the banner of revolt and minted coins for the freedom of Jerusalem.
From near and far the Roman Empire rushed fourteen Legions against small Judaea. And Bar Kokhba fought them and conquered almost fifty fortresses in the first year. He destroyed the twenty-second Legion completely. Three and a half years passed, and the battles grew fiercer until the strength of the nation gave out. Betar fell and Bar Kokhba was killed with all his men.
1800 years later a Hebrew poet said:

Wells of strength will be in you
and streams of your people's proud sons
whose ancestors wrestled with God
and took His blessing with a strong hand.

מרד בר כוכבא,
135—132

Bar Kokhba
Revolt, 132–135

## ז וְהָלַךְ דָּמָם לַיָּם

כל לילה רתחו ימי להבות באלכסנדריה, בקיריני ובסלאמיס, כי הסתערו היהודים בהעזה שלא
תאומן, בזמן אחד בארצות שונות, נגד התושבים היוונים שהתנכלו להם.
שתי שנים ניהלו המורדים היהודים מלחמה עקשנית.
בכל ארץ קירנאיקה, במצרים ובקפריסין הם גברו על חילות המצב והפיצום.
עד שנזעקו לגיונותיו של הקיסר טריאנוס והמרד דוכא באכזריות נוראה.
וכה רבים היו היהודים חללי החרב עד כי הלך דמם לים.

## 7 Their Blood Ran Down to the Sea

All night seas of flame raged in Alexandria, in Cyrene, and in Salamis because the Jews, with unbelievable daring, at the same time and in different countries, attacked the Greeks who persecuted them.
The Jewish rebels fought their stubborn war for two years. They overcame the garrisons throughout Cyrenaica, Egypt, and Cyprus, and dispersed them. Until the legions of Emperor Trajan were summoned, and the revolt was suppressed with terrible cruelty.

מרד התפוצות,
117–115

The Diaspora
Rebellion,
115–117

## ו הַצּוּק וְהָאֲנָשִׁים

כל הלילה רתחו הלהבות מעל מצדה. וכשפרצו חיילי רומי מהסוללה אשר שפכו על המבצר העש
לא נמצא מן המגינים אפילו אחד שנכנע להם. היהודים היו מוטלים על הארץ כבשעתם האחרונ
איש בצד אשתו ובניו, חבוקים בזרועותיהם באהבה רבה.
ועשרה גברים, שוודאי נבחרו בגורל לשחוט את בני-ביתם הנותרים, היו שרועים גם הם על האדמ
כתף ליד כתף, וידי האחרון עוד אוחזות בסכין. ולא היה אף אחד מבין הנצורים שנעדר ממנו אומץ
הלב לעשות את הדבר. ומספר ההרוגים היה תשע מאות וששים נפש.
וכשנגלה המחזה לעיני הכובשים הנדהמים, אמר אחד החיילים: הצוק והאנשים האלה היו לאחד

## 6 The Rock and the People

All night flames raged above Masada. And when the Roman soldiers came storming over the ramps piled up against the smoldering fortress, not even one of the defenders surrendered. The Jews lay on the ground where they had died, each man beside his wife and sons, embracing one another in love.
And ten men, who had clearly been chosen by lot to slay those left from each household, were also stretched out on the earth, shoulder to shoulder, the hand of the last one still holding a knife.
And there was no one among the besieged who lacked the courage for this deed.
And the number of the dead was nine hundred and sixty.
And when the amazed conquerors came upon the scene, one of the soldiers said:
The rock and the people have become one.

נפילת מצדה
73

The Fall of
Masada, 73

## ה לַיְלָה זֶה

כל הלילה רתחו ימי להבות מעל הר הבית. וחיילי טיטוס הוסיפו להבעיר את בניני המקדש מכל פינותיו, עד שהיתה כל הכיכר לשלהבת אש. ועדיין עמדה העיר העליונה. וכשנפרצו גם שלושת המגדלים של היכל הורדוס יכלו הרומאים, מקץ חמישה חדשי מצור, להריע את תרועת הנצחון מעל עיר מתבוססת בדמה, מלאה פגרי־רעב וחללי־חרב, אודים עשנים ותלי־אפר.
בט׳ באב חרב בית־ראשון ובט׳ באב נחרב בית־שני, והמשורר ראה את השחר עולה מעל מוקד ירושלים:

מִקְדָּשֵׁנוּ שָׁמֵם וּמִזְבְּחֵנוּ
נֶהֱרַס וְהֵיכָלֵנוּ חָרֵב וְנִבְלֵנוּ
שָׁבַת וְשִׁירֵנוּ נֶאֱלַם.

## 5 This Night

All night seas of flame raged above the Temple Mount. And the soldiers of Titus went on burning all the buildings of the Temple until the whole square was a blaze of fire.
And the upper city still stood. And when the three towers of Herod's Palace were breached, after five months of siege, the Romans could shout in triumph over a city defiled in its own blood, filled with people starved to death and slaughtered by the sword, embers and heaps of ashes.
On the ninth of Av the First Temple was destroyed. And on the ninth of Av the Second Temple was destroyed. And the poet saw the dawn rising above the hearth of Jerusalem:

Our Temple was deserted and our altar
destroyed and our Sanctuary demolished, and our harp
stopped and our song was dumb.

חורבן
הבית השני, 70

The Destruction
of the Second
Temple, 70

## ד עַם קְשֵׁה עֹרֶף

כרעם ביום בהיר נשמע צו הקיסר ותזדעזעה הארץ. כי פקד קאיוס קליגולה להכיר באלוהות ולהעמיד פסלו בבית-המקדש בירושלים.
ונקום עם רב ונעלה לעכו, מקום מושבו של נציב סוריה וארץ-ישראל, ונתייצב אלפים בככר ונאמר לו לפטרוניוס:
הנציב! את הפסל בהיכל תוכל להעמיד רק לאחר שלא יהיה בחיים איש מבני עמנו!
ונשכב שם תחת כיפת השמים ארבעים יום וארבעים לילה אלפים אנשים, והימים ימי האסיף בארץ ולא העז הנציב להוציא לפועל את מצוות המלך, עד שבאה הפקודה מרומי לבטל את הגזירה. ויינד לנו ביום ההוא, עד ארגיעה.

## 4 A Stiff-Necked People

The decree of Caesar came like thunder on a bright day, and the land trembled. Because Caligula commanded us to accept his divinity, and to place his statue in the Temple in Jerusalem.
And we rose, a multitude, and went up to Acre where the governor of Syria and Israel was stationed. Thousands of us stood in the square and said to Petronius:
Governor! You can put the statue in the Temple only after all our people are dead!
And we lay there under the dome of heaven forty days and forty nights, thousands of people. These were the days of harvest in the land. And the governor did not dare to carry out the decree of the King.

צלם בהיכל;
גזירת קליגולה,
40 לספ׳

A Statue in the
Temple; The
Decree of
Caligula, 40 C.E.

## ג נועזים יוכלו להושיע

קשה כשאול הוא שלטון זר בארץ אבות. כאדמת נכר דמתה לנו הארץ בשעה שגזר אנטיוכוס ללכ
אחרי חוקי הנכרים, לחלל שבתות וחגים ולשכוח את התורה. אנשים מישראל התחזקו לבלתי אכו
טמא ולבלתי חלל ברית-קודש ויבחרו למות.
אז שלח המלך אל מתתיהו בן יוחנן הכהן לדרוש שיעשה כמצוותו, ענה לו מתתיהו:
אם כל העמים הכבושים השומעים למלך יסורו כל איש מעבודת אבותיו ויבחרו במצוותיו — אנ
ובני אחי נלך בברית אבותינו!
ויקם בנו יהודה הנקרא המקבי ויעזרו לו כל אחיו וכל אשר דבקו באביו וילחמו את מלחמת ישראל
ותצלח תשועה בידם. ועד עולם זִכְרָם לברכה.

## 3 Brave Men Could Save Us

oreign rule in the land of our Fathers is as cruel as the grave. The land seemed like alien soil to us vhen Antiochus decreed we must follow the laws of the gentiles, desecrate the Sabbath and the olidays, and forsake the Torah. The people of Israel vowed not to eat unclean food or to desecrate he Holy Covenant, and they chose to die.

hen the King sent for Mattathias, the Priest, and demanded that he obey the decree.

lattathias answered:

ven if all the conquered people, obeying the King, abandon the ritual of their fathers and accept he King's decree,, I and my sons and my brothers will keep to our Covenant.

nd his son Judah Maccabee rose up and was joined by all his brothers and all the followers of his ather. And they fought the war of Israel. And they saved us. And their memory will be blessed orever.

גזירות אנטיוכוס
אפיפנס; מרד
המקבים, 168
לפנה״ס

The Decrees of
Antiochus
Epiphanes; The
Revolt of the
Maccabees,
168 B.C.E.

## ב הַקִּינָה וְהַהֵד

אנחנו לא היינו שם, והשירה הזאת היתה מלווה אותנו בכל דרכי הגולה האבלות:

עַל נַהֲרוֹת בָּבֶל שָׁם יָשַׁבְנוּ גַּם בָּכִינוּ
בְּזָכְרֵנוּ אֶת צִיּוֹן
עַל עֲרָבִים בְּתוֹכָהּ תָּלִינוּ כִּנֹּרוֹתֵינוּ
כִּי שָׁם שְׁאֵלוּנוּ שׁוֹבֵינוּ
דִּבְרֵי שִׁיר וְתוֹלָלֵינוּ שִׂמְחָה:
שִׁירוּ לָנוּ מִשִּׁיר צִיּוֹן!
אֵיךְ נָשִׁיר אֶת שִׁיר יהוה עַל אַדְמַת נֵכָר?

## 2 The Elegy and the Echo

We were not there. But this poem followed us wherever we went into exile:
By the rivers of Babylon, there we sat down, yea, we wept, when we remembered Zion.
We hanged our harps upon the willows in the midst thereof.
For there they that carried us away captive required of us a song; and they that wasted us required of us mirth, saying, Sing us one of the songs of Zion.
How shall we sing the Lord's song in a strange land?

גלות בבל,
597–458 לפנה"ס

Babylonian Exile,
597-458 B.C.E.

## א בִּכְיוֹ שֶׁל נָבִיא

כל הלילה רתחו ימי להבות מעל הר הבית, והיה ירמיהו הולך עם הגולים. בוכה לנגדם והם לנגדו
עד שפנה מהם לשוב לירושלים, כי ביקשה נפשו לנחם את השארית.
ראו הגולים אותו שפונה מהם וגעו כולם בבכיה:
אבינו ירמיהו, על מי אתה מניחנו?
ענה ירמיהו ואמר להם:
אני מעיד שמים וארץ, אילו בכיתם בכיה אחת עד שאתם בציון לא גְלִיתֶם!

## I Weeping of a Prophet

All night seas of flame raged above the Temple Mount, and Jeremiah walked with the exiles, weeping with them. Until he left them to go back to Jerusalem, because he wanted to console the remnant who stayed behind.

The exiles saw him leaving, and they sobbed:
Our father, Jeremiah, what will become of us?
Jeremiah answered and said unto them:
I swear by heaven and earth, if you had wept one tear while you were in Zion, you would not have

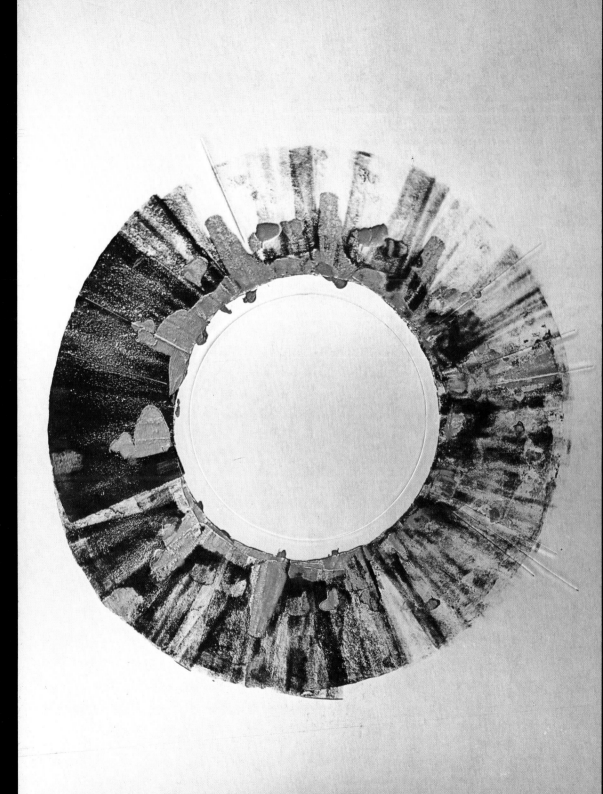

חורבן בית
ראשון, 586
לפנה"ס

**Destruction of
the First Temple,
586 B.C.E.**

ל הלילה ותוו ימי להבות והשתובבו לשונות אש מעל הר הבית. כוכבים נתזו מן השמים
הילדים ראו את הרשפים לנגד עיניהם כמו מקרוב.
בתי העיירה הצפונית טבלו בשלג והרבי היה מוסיף ומספר לפניהם, באור הדמדומים, מאגדות
החורבן:
כשכבש שר צבאו של נבוכדנאצר את ירושלים והעלה באש את בית המקדש, עלו כהן גדול ופרחי
כהונה אל ראש ההיכל הבוער וניצבו על הגג. אז נשא הכהן את עיניו לשמים האדומים ויזרוק את
מפתחות המקדש כלפי מעלה. יצאה כמין פיסת־יד וקיבלה את המפתחות.
כשתתק הזקן והילדים לבשו את המעילים הכבדים ופנו איש לביתו, מדשדשים בשלג המנצנץ תחת
הירח. וילד אחד, עגום עיניים, ראה על משכבו בלילה מפתח מלובן צולל משמים ונופל למימי
האגם הירוק, שמאחורי העיירה.

## The Key

All night seas of flame raged and tongues of fire circled above the Temple Mount. Stars burst from the sky, and the children saw the sparks as if they were there.

The houses of the northern village were deep in snow, and in the twilight, the rabbi went on telling them the legends of destruction:

. . . and when the commander of Nebuchadnezzar's army conquered Jerusalem and set the Temple on fire, the High Priest and his attendants climbed to the top of the burning Temple and stood on the roof. Then the High Priest raised his eyes to the red heavens and threw the keys of the Temple upward.

Something like a part of a hand came out and took the keys . . .

The old man became silent, and the children put on their heavy coats and went home, trudging through the snow shining under the moon. And one sad-eyed child, in his bed at night, saw an incandescent key sinking from heaven and falling into the waters of the green lake behind the

המפתח

אֵין לְךָ דָּבָר יוֹתֵר שָׁלֵם מִלֵּב יְהוּדִי שָׁבוּר

מְנַחֵם מֶנְדֶל מִקּוֹצְק

# מגילות האש

ספר מגילות האש מתאר את נתיב היסורים של היהודים והעמידה על הנפש של עם ישראל לדורותיו, למן חורבן בית-המקדש ועד הזמן הזה. דפי הספר המקורי (100 × 70 ס"מ) מוצגים בבית התפוצות על-שם נחום גולדמן בתל-אביב.

אלבום זה מכיל את כל הפרשות ואת כל הציורים של הספר המקורי.

# מגילות האש

אומה עומדת על נפשה
נ"ב פרשות כנגד נ"ב שבועות השנה

כתב אבא קובנר
צייר דן רייזינגר

בית הוצאה כתר•ירושלים

# בית התפוצות

על-שם נחום גולדמן

מגילות האש